SIMENON AVANT SIMENON

Jean-Christophe Camus

SIMENON AVANT SIMENON

Les Années de Journalisme
1919-1922

© DIDIER HATIER, Bruxelles, 1989
18, rue A. Labarre 1050 Bruxelles
Diffusion en France: Éditions HATIER Paris

Dépôt légal 10532
ISBN 2-218-02572-8

À Helena

REMERCIEMENTS

L'auteur et les éditeurs de ce livre tiennent à revendiquer ici une dette de reconnaissance contractée à l'endroit de plusieurs à commencer, de son vivant, par Georges Simenon lui-même, qui prodigua encouragements et informations à Jean-Christophe Camus qui, à 65 ans de distance son cadet à *La Gazette de Liége,* avait entrepris de mettre ses pas dans les pas de l'Ancien.

À Madame Lily Portugaels, directeur de *La Gazette de Liége,* qui nous a généreusement autorisés à reproduire documents, articles et photos d'époque, s'adresse un merci particulièrement chaleureux; nous sommes confiants que le rayonnement de ce livre, où le vieux journal de la Cité Ardente et sa dynastie Demarteau sont présents à chaque page, rejaillira sur son prestige.

À Madame Swings-Deliège, conservateur du *Fonds Simenon* vont aussi nos remerciements, comme à Madame Joyce Aitken, qui fut et demeura la fidèle et dévouée collaboratrice du grand écrivain tout au long de la période Suisse, grâce auxquelles ont été rendus possibles les emprunts aux archives et aux livres de Simenon.

Les Éditeurs

EN GUISE DE PRÉFACE

GEORGES SIMENON

le 6 septembre 1985

Monsieur Jean Christophe Camus
40, r. du domaine de Waroux
4341 Awans

———————

Mon cher confrère,

      Je viens de terminer la lecture de votre thèse qui m'a beaucoup amusé. En effet, je n'ai pas l'habitude de me relire. Je n'ai pas relu un seul de mes romans et, à plus forte raison, mes articles éparpillés un peu partout.

      Avec votre thèse, c'est ma jeunesse que je retrouve. Ce n'est pas sans étonnement d'ailleurs que je découvre que toutes mes idées de mes seize à vingt ans sont restées les mêmes aujourd'hui. Il y a quelques petites erreurs dans les fonctions des divers rédacteurs de La Gazette, mais elles sont sans aucune importance.

      Je vous signale seulement une chose qui peut en avoir. Il s'agit des deux ou trois articles que j'ai écrits sur les Sages de Sion. Ces articles, en effet, ne reflètent nullement ma pensée d'alors ni d'aujourd'hui. C'était une commande et j'étais bien obligé de l'accomplir. A la même époque, parmi les locataires polonais et russes de ma mère, il y en avait plus de la moitié de juifs avec qui je m'entendais parfaitement. Toute ma vie, j'ai eu des amis juifs, y compris le plus intime de tous, Pierre Lazareff. Je ne suis donc nullement antisémiste comme ces articles de commande pourraient le laisser penser.

      Vous avez fait un travail de bénédictin et j'admire votre patience. J'ai retrouvé dans votre thèse un grand nombre de passages que j'avais complètement oubliés.

      Je vous en félicite donc chaleureusement et je vous prie de croire, mon cher confrère, à mes sentiments les meilleurs.

12 AVENUE DES FIGUIERS, 1007 LAUSANNE

Lettre de Georges Simenon à Jean-Christophe Camus.

INTRODUCTION

Qui ne connaît Georges Simenon, le père du commissaire Maigret, lu à travers le monde par quelque 550 millions de lecteurs? Et pourtant, qui pourrait dire quelles furent les années d'adolescence de Georges Simenon dans sa ville natale de Liège?

À quinze ans, le jeune Georges étouffe dans sa famille et ne se voit aucun avenir. Le soir, il pleure de rage et de révolte. Il se considère comme un raté. Il entre en contact avec l'univers des anarchistes. Il est prêt à passer la ligne, à basculer dans la délinquance. Or, le voilà qui passe par la rue de l'Official... La *Gazette de Liége* sera sa planche de salut.

De janvier 1919 à décembre 1922, le jeune Georges Sim est reporter à la Gazette, à la rubrique des "chiens écrasés". Chaque matin, durant ces quatre années, il aura rendez-vous avec un commissaire, celui de la permanence de police de Liège qui lui lira, ainsi qu'à ses confrères, le rapport de la nuit.

À la Gazette, il commence au bas de l'échelle. Au fil des mois, il fait ses gammes. Il apprend à écrire très vite. Il arpente les rues de Liège à longueur de nuit. Il bat la semelle sur le pavé communal, humant les odeurs et les petits mondes de sa ville. Chez sa mère, il noircit des pages et des pages d'une fine écriture qu'il ne montre à personne.

Durant ces années déterminantes qui précèdent sa montée à Paris, Georges Sim écrit ses premiers romans, œuvres mineures, et ses premières nouvelles. Il écrit notamment avec un confrère une satire (inachevée) du roman policier, *Bou-*

ton de Col, où il se moque de Sherlock Holmes et met en scène le limier Gom Gutt.

Chaque jour, il rédige à la Gazette un billet quotidien, intitulé *Hors du Poulailler* qu'il signe *Monsieur le Coq.* En quatre ans, il en écrit huit cents.

Il collabore également à deux journaux, l'un radicalement wallon, *Noss'Pèron;* l'autre franchement satirique, *Nanesse.*

Il assiste aussi à des procès, du tribunal de simple police jusqu'à des cours d'Assises, suit de fort près plusieurs enquêtes judiciaires, et révèle notamment les secrets de "La Mystérieuse Maison du quai de Maestricht".

De plus, ne le voit-on pas suivre un cycle de conférences consacrées à *La Police Scientifique?*

Georges Simenon cherche déjà à mieux connaître la «matière humaine». Il partira en mer du nord avec des pêcheurs, en Allemagne avec des fraudeurs.

Il réussit son premier «scoop» en sautant dans le train du Maréchal Foch et en lui arrachant un «oui» qui s'avère capital dans l'immédiate après-guerre.

Il se plaira aussi à jeter le pavé dans la mare à travers quelques brillantes polémiques. Il ira dérober à l'Hôtel de Ville de Liège une caisse de périodiques abandonnée. Le lendemain, c'est la bombe à la une de la Gazette: «L'incurie administrative - Des documents précieux en souffrance».

Georges Sim fréquente à cette époque un groupe de jeunes romantiques, artistes en herbe, qui lui font découvrir un monde fait de beuveries et d'exaltation. C'est parmi eux qu'il rencontrera celle qui allait devenir sa première épouse, Régine Renchon, dit "Tigy", artiste-peintre. C'est aussi par *La Caque* qu'il vit le drame de Joseph Klein, cocaïnomane qui se pendra à la porte de l'église Saint-Pholien.

Mais Georges Sim approche aussi M. Gobert, archiviste de Liège, qui travaille sans relâche à la rédaction de son œuvre: *Liège à travers les âges.* Celui-ci lui apprend, non seulement à admirer les œuvres du passé, mais aussi et surtout à se documenter sur un sujet.

Dans les feux des élections, il fera élire un nouveau venu en politique, en le présentant comme le "candidat des pêcheurs à la ligne".

Mais Georges Sim vit aussi ses premières amours, erre tard le soir dans les rues de Liège, hante les brasseries et les boîtes de sa ville, fait des dettes, rêve de luxe et d'ivresses. Et déjà, il s'abandonne volontiers dans les bras d'une prostituée. Il traîne avec bonheur dans les quartiers les plus mal famés de Liège.

Cette adolescence mouvementée, durant laquelle Georges Sim forge peu à peu sa personnalité, nous avons voulu la connaître à travers les années qu'il a vécues intensément au sein de la rédaction de M. Joseph Demarteau III, directeur de la Gazette de Liége. Il faut souligner l'incroyable indulgence de ce dernier à l'égard de son "petit Sim" qui fait les quatre cents coups à une époque où on ne transige guère avec les principes.

Mais, il faut le dire, il sera aussi l'auteur d'une série maudite : dix-sept articles totalement abjects, intitulés *Le Péril Juif!*, véritable campagne de propagande antisémite. À ce propos, Simenon nous a écrit en septembre 1985 : «C'était une commande et j'étais bien obligé de l'accomplir».

Nous avons essayé de recomposer le puzzle des années qui courent de 1919 à 1922, en donnant, entre autres, la parole à Georges Simenon grâce aux *Dictées* qu'il nous a laissées et en glanant des informations par le biais des fort nombreuses interviews qu'il accorda au cours de sa vie.

Nous avons par ailleurs voulu mettre en parallèle ces quatre années vécues à la Gazette et les romans dans lesquels il transpose et reproduit les souvenirs de cette période exaltante. Simenon dira lui-même : «Ces dix-neuf ans là sont ma part la plus vivante»[1].

L'empreinte de la ville de Liège

Tout au long de sa vie, Georges Simenon n'a cessé de répéter, sous de multiples formes, une idée qui lui était chère et qui lui paraissait fondamentale : un homme est constitué définitivement - dans le noyau dur de sa personnalité - aux alentours de ses vingt ans. C'est pourquoi, il est si important de mieux circonscrire la période-charnière de Georges Sim à la Gazette de Liége, entre 1919 et 1922, entre ses seize et ses vingt ans, juste avant sa montée à Paris.

Cette tranche de vie s'avère en effet déterminante, primordiale. Et on reste quelque peu abasourdi, le mot n'est pas trop fort, après avoir plongé dans les eaux de ces quatre années.

On relève la tête et on ne peut s'empêcher de s'exclamer: «Oui, c'est bien vrai, toute la vie et l'œuvre de Simenon, dans leurs tendances premières, se trouvent déjà présentes, à l'état latent, à l'état de possibilité, dans le terreau très riche de cette période!».

Dans sa personnalité, Georges Sim préfigure en effet le Simenon qui allait se développer et mûrir: tous les traits du grand romancier ont déjà dépassé le stade de l'épure: Simenon, l'homme Simenon est «fait», construit.

À ce propos, Georges Simenon soulignait lui-même: «Je n'en suis pas moins resté un Liégeois car la plus grande partie de mon œuvre est basée sur mes impressions d'enfance, c'est-à-dire sur des impressions que j'ai recueillies à Liège, où je suis né et où j'ai vécu jusqu'à l'âge de dix-neuf ans». Et il ajoutait: «C'est pendant ces périodes-là, je l'ai répété souvent, que notre individualité se forme et l'on a beau vivre dans n'importe quel pays du monde, on emporte avec soi son enfance.»

Il n'hésitait pas à marteler: «Sentimentalement, sinon physiquement, je suis resté attaché à ma ville natale. De nombreux critiques ont reconnu dans mes romans parisiens ou dans mes romans sur la province française, l'empreinte de la ville de Liège»[2].

---

1. «Simenon», Collection Cistre, 1980, p.14.
2. Dictée «Tant que je suis vivant», 1978.

I

«PEDIGREE», LES ÉTAPES D'UNE ENFANCE

Du petit mystique à l'adolescent turbulent

C'est au numéro 18 de la rue Léopold, à Liège, que Georges-Joseph Christian Simenon voit le jour, le vendredi 13 février 1903, à minuit dix. Cette rue relie le pont des Arches à la place Saint-Lambert. Faut-il déjà préciser qu'il naît à deux petites minutes à pied de la Gazette de Liége, située rue de l'Official aujourd'hui disparue. Sa mère est vendeuse à l'Innovation; son père sera toute sa vie employé d'assurances.

Quelques mois après la naissance de Georges, la tribu Simenon quitte la rue Léopold pour la rue Pasteur, en Outremeuse, où ils louent un deux pièces au second étage d'une maison. C'est là que naîtra Christian, leur second enfant.

Hantée par la misère de son enfance, Henriette Brüll, la mère de Georges, décide d'héberger des étudiants étrangers. Pour ce faire, ils s'installent dans une grande maison, rue de la Loi, toujours en Outremeuse.

De 1907 à 1918, la «maison envahie» accueillera surtout des Polonais et des Russes, parfois – fait important – des étudiants en médecine. C'est par leur intermédiaire que le petit Georges apprendra à s'intéresser à la structure physique de l'homme. «Ils me parlaient médecine. Je regardais leurs livres, je les parcourais, se rappela Simenon en 1970, je demandais des explications et cela m'a donné cet espèce de goût pour la médecine que j'ai toujours eu». Par eux également, Georges découvre les écrivains russes, tels que Dostoïevski,

Andreïev, Tchékov qui, toute sa vie durant, resteront pour lui des maîtres. Il découvre et dévore ces auteurs avant même de connaître Balzac et Dumas. Fait essentiel: il vouait une admiration sans borne pour Gogol.

Juste en face de l'habitation familiale se trouve l'Institut Saint-André. Le petit Georges y fait de brillantes études primaires; c'est un jeune garçon conformiste, le "chouchou" de ses professeurs.

En 1914, il entre en sixième latine comme boursier au collège Saint-Louis. À douze ans et demi, terriblement mystique, il rêve déjà d'écrire. Il a cependant compris que pour écrire, il faut du temps et, de préférence, disposer de revenus. C'est pourquoi, il se dit qu'il deviendra soit prêtre, soit officier.

Pendant l'été 1915, patatras! Il rencontre une jeune demoiselle à Embourg, sur les hauteurs de Liège. Il n'a que treize ans; elle, quinze ans et demi. Elle le fait homme. C'est le coup de tonnerre qui bouscule ses rêves: plus question de devenir prêtre!

Mais il veut toujours écrire. Il change de collège, passe à Saint-Servais. Comme beaucoup d'élèves, il écrit des «vers exécrables». «Et comme tant d'autres aussi, dira-t-il, j'ai fondé un journal polycopié qui n'a eu que deux numéros et qui a failli me faire renvoyer de l'établissement».[1] Il se montrait fort polisson, et même irrévérencieux à l'égard des professeurs. C'est dans *Pedigree* que nous trouvons l'évocation de ce premier fait d'armes dans le monde de la presse. Le préfet des études «attire à lui, non sans dégoût un papier dont Roger était si fier la veille encore et qui le déçoit soudain par sa vulgarité indécente. C'est un journal qu'il a rédigé seul, tiré lui-même à la pâte à copier. La première page s'orne d'une caricature du préfet des études»[1]. Nous verrons par la suite que Georges Sim, reporter à la Gazette de Liége, collaborera à des revues satiriques, elles aussi illustrées de caricatures.

À quatorze ans, il écrit même un petit poème qui a pour titre: *Mélancolie du haut clocher*

Mélancolie du haut clocher
Si haut, si haut et si solitaire
Qui se penche avec envie sur les toits pressés les uns contre
les autres...

Comme tous les collégiens, le petit Georges écrit des rédactions.

Le professeur finit par lui laisser choisir un thème à sa guise.

Lors d'un contact, en 1984, avec l'un de ses anciens petits camarades de classe, M. Nicolas Thioux aujourd'hui décédé, celui-ci nous déclara: «C'était tout à fait époustouflant! Simenon écrivait des pages et des pages avec une facilité dérisoire! Les autres élèves lui demandaient d'écrire leur rédaction à leur place. Ce qu'il acceptait de bon gré».

Mais, en outre, Georges lit, ou plutôt, dévore des livres. C'est déjà la passion. Simenon se dépeint dans *Pedigree* comme étant à cette époque un gamin qui lit chaque jour un livre, parfois deux, quand il n'allait pas au collège. Grâce à la complicité du bibliothécaire et poète wallon Joseph Vriendts, le petit Georges parvient à emprunter plus de dix livres par semaine, avec les carnets de son père, de sa mère, de son frère, et même des locataires. Une véritable boulimie!

Bien plus tard, Georges Simenon soulignera que Joseph Vriendts fut un des quatre hommes qui lui ont donné sa chance. Le petit Georges tombe en admiration devant cet homme qui lui ouvre les portes d'un monde interdit aux enfants de son âge. Il rêve de devenir poète à son tour.

Dans *Pedigree,* Simenon ne prête-t-il pas ce même projet à Roger, le personnage qui l'incarne: il «pourrait probablement fournir une carrière comme celle de Vrins, le poète wallon qu'il rencontre chaque matin sur le quai, coiffé d'un vaste chapeau noir, cravaté d'une lavallière, les yeux rêveurs, le sourire bienveillant. (...). Il connaît Roger, qui est son client le plus assidu. Il y a longtemps qu'il l'encourage à écrire des poésies». Plus tard, Joseph Vriendts dira de lui, en wallon: «Divins ses crolés oüy's on léhèye li malice» (Dans ses yeux qui se plissaient, on lisait l'intelligence.

Georges passe des «jours de parfait bonheur»: il lit, mange et fume! Il mange une sorte de gâteau qu'il obtient en mélangeant à sa ration de pain du miel artificiel. Sans oublier une bonne pipe qu'il bourrait avec du tabac de guerre, fait de glands et de feuilles de chêne.

À cette époque, il découvre – en plus des auteurs russes – Joseph Conrad (1757-1924), l'auteur anglais d'origine polonaise, peu connu alors, qui deviendra vite un de ses dieux. Non seulement le petit Georges lit avec avidité, mais il se

montre déjà d'un esprit critique étonnant. C'est en tout cas ce que nous rapporte Simenon dans le roman *Les trois crimes de mes amis*[2] : «Je me souviens que, tout jeune, je dévorais des romans, à raison de trois par jour, et qu'ils me laissaient tous insatisfait. La dernière page lue, je soupirais :
– Mais après?

Pourquoi était-ce fini, puisque tous les personnages n'étaient pas morts? Pourquoi l'auteur décidait-il ainsi, à son gré, gratuitement, qu'à un moment donné il n'y avait plus rien qu'une page blanche avec le nom de l'imprimeur?».

Le goût naissant de la liberté s'allie à un affrontement perpétuel avec sa mère, tandis qu'il aime et admire son père.

La fin de la guerre est proche; il ne terminera pas ses études secondaires. C'est la vie qui se chargera de sa formation.

Entre temps, les Simenon ont quitté la rue de la Loi pour la rue des Maraîchers, pour vivre ensuite rue de l'Enseignement, en 1918.

Le jeune Georges et la Grande Guerre

« Tu crois, toi, qu'on aura la guerre?

C'était en 1913. On parlait beaucoup de la guerre. On en a parlé pendant toute mon enfance. Certains soirs, tandis que mon père lisait le journal à voix haute, ma mère reniflait, les yeux rouges»[3]. Cette guerre que l'on pressentait éclate alors que le jeune Georges a juste onze ans et demi. Une guerre qui, comme on le sait, entraîne, entre autres, l'occupation de la Belgique par l'Allemagne. Comme tant d'autres, le jeune Georges sera marqué par cette guerre. Mais, comme Simenon le souligne dans *Les trois crimes de mes amis,* l'occupation ne se raconte pas : «Ce ne sont pas des faits : c'est une ambiance, c'est un état, c'est une odeur de caserne dans les rues, la tache mouvante d'uniformes non familiers, ce sont les marks qui remplacent les francs dans les poches, et la préoccupation de manger qui se substitue à toutes les autres. (…). Les préoccupations d'un gamin de treize ans restent les préoccupations éternelles, avec simplement d'autres en sus»[2].

Le jeune Georges allait tirer une expérience capitale de ces années d'occupation qui a défini, dans une certaine mesure, sa personnalité : «Tout d'abord, tout le monde triche. Car tout le monde trichait, mon père trichait, ma mère trichait, chacun trichait. Cela m'a fait un plaisir énorme parce que j'ai horreur des règles rigides, bonnes pour tous les cas»[4].

Mais l'armistice est proche. Georges a quinze ans et demi. Il porte des pantalons d'homme et fume une pipe à mince tuyau. La famille Simenon accueille deux Russes libérés un peu avant la débâcle allemande. Georges passe le plus clair de son temps à les promener à travers les rues de Liège. «Roger et ses deux Russes fument des cigarettes moisies, qu'on vend, rue du Pont-Neuf, vingt-cinq centimes la pièce au lieu d'un franc»[1]. Ils entrent au Cinéma Palace. Sur la scène apparaît «un comique troupier, hilare, en perruque rousse.

Caroline, pan pan pan pan
Elle est malade, pan pan pan pan
Elle est malade du mal d'amour».

Soudain, une nouvelle sensationnelle survient au beau milieu du spectacle: «Les yeux fous, l'homme qui a gardé son costume de troupier de music-hall hurle à pleins poumons aux deux mille personnes serrées les unes contre les autres, tandis que l'orchestre attaque la *Brabançonne*:
– C'est l'armistice!... La guerre est finie!».

Georges vit un véritable baptême: après des années d'angoisse et de misère, les gens se libèrent et font exploser leur joie, sans frein. À la Gazette, Georges Sim écrira avec la fougue et l'appétit de cette foule en délire qui s'adonne à tous les excès. Il sera marqué à vie par le fer chauffé à blanc de cette soif de liberté d'expression.

---

1. «Pedigree», pp.9-10 et 214-219.
2. «Les Trois crimes de mes amis», pp.11-14 - 21.
3. «Je me souviens», pp.26-27.
4. «Portrait Souvenir», Librairie Tallendier, 1963.

II

LES RACINES LIÉGEOISES
DE GEORGES SIMENON

Une « Tièsse di Hoye »[1]

Les Simenon sont chapeliers. Le père de Georges, Désiré
Simenon, est l'intellectuel de la famille. Il est employé d'assurances dans une société située rue Sohet, non loin de la gare
des Guillemins. «Cela est dru et peuple. Pas riche? Mais cela
vit bien. Cela fait partie d'Outre-Meuse et cela parle volontiers wallon»[2]. Pour son père, la vie est une ligne bien droite:
«Désiré est entré dans ce bureau aux fenêtres grillagées à
dix-sept ans, (...), et c'est là qu'il mourra, seul, derrière le
guichet, à 45 ans»[2]. Chez lui, Désiré Simenon n'a rien à dire.
«C'était un résigné, mais un résigné qui était parvenu à bâtir
son bonheur sur cette résignation. Il était arrivé à se dire:
Mon Dieu, dans la vie nous n'avons à notre disposition que
des petites joies. Prenons donc ces petites joies»[3].
   Sa mère, Henriette Brüll, est tout le contraire. Originaire
du Limbourg, parlant flamand, elle a connu la misère, ayant
perdu son père à cinq ans. Anxieuse, vive et nerveuse, elle
craint sans cesse le lendemain; elle est hantée par le strict
nécessaire et reproche sans cesse à son mari son manque
d'ambition. Simenon résumera cet état familial en une phrase: «Mon père ne manque de rien. Henriette manque de tout.
Voilà la différence. Et voilà que se dessinent dans le ménage,
dans l'univers, le clan des Simenon et le clan des Brüll»[2].
   Rue de la Loi, de 1907 à 1918, des étudiants étrangers,
russes et polonais, sont hébergés par les Simenon. Le petit

Georges voyait son père devenir le dernier des locataires. Il en souffrira profondément. Et il nourrira toujours à l'égard de sa mère une haine farouche: «Je t'en ai voulu. Tout enfant, j'ai senti qu'une sorte de déséquilibre s'était établi dans la maison où tu comptais seule, où tu travaillais dur, du matin jusqu'au soir, (…) et l'homme qui, rentrant chez lui, trouvait souvent son fauteuil occupé par un Polonais ou par un Russe, son journal entre les mains d'un autre»[4].

Liège et Simenon. Simenon et Liège

Liège, au début du XXème siècle! Avec ses trams qui sonnaillent le long des trottoirs, avec ses places en terre-plein, ses rues pavées, ses marchés de fruits et légumes. Liège, avec ses petits artisans, ses petits commerçants, ses us et coutumes toujours en vie. Avec ses marchands ambulants qui soufflent dans une trompette pour annoncer en patois:
«Crompires à cinq cens li kilo….» (Pommes de terre à vingt-cinq centimes le kilo…).

Liège où le jeune Georges flâne et saisit les moindres éclats de vie qui lui arrivent sous forme de couleurs, d'odeurs, de cris, de gestes happés sur le vif.

«Liège, où j'ai passé mes dix-neuf premières années, était une ville très moyenne, sinon une petite ville, et les plus hauts immeubles ne dépassaient pas trois étages. Les autos étaient rarissimes. Les chevaux de fiacre faisaient sonner leurs fers sur les pavés entre lesquels les herbes poussaient»[5].

«Liège, à cette époque-là, comptait encore un grand nombre de ruelles très étroites, aux maisons moyenâgeuses, et le ruisseau des eaux usées coulait librement au milieu des pavés. L'odeur de ces rues-là était caractéristique et rien que d'y penser elle me revient aux narines»[6].

Simenon n'a pas vécu à Liège dans n'importe quel quartier: «Si je décris surtout les petits-bourgeois, c'est que j'ai vécu dans un quartier que vous connaissez bien et qui n'est même pas petit-bourgeois, c'est du petit commerce, un monde de petites gens qui a mes préférences. Je déteste les grands bourgeois, les financiers, les hommes politiques et les hauts fonctionnaires»[7].

La «*classe des petites gens*»

Georges Simenon s'est toujours senti faire partie de ce qu'il appelle la «classe des petites gens». Il entend sans doute par là, non pas les propriétaires, mais une certaine frange de la classe moyenne, celle où dominent les isolés, les humiliés, les vaincus. Par sa famille, il appartient à la petite bourgeoisie honnête et laborieuse de Liège, dans laquelle nous trouvons les petits artisans et les commerçants. «Au fond, les petites gens, dira Simenon, ce sont ceux avec lesquels on fait les démocraties, avec lesquels on fait les États; ce sont ceux qui croient à tous les tabous, à toutes les vérités auxquelles on veut leur faire croire, qui suivent absolument toutes les règles de morale que l'on a inventées pour en faire des citoyens dociles. Ce sont ceux qui passent leur vie à vouloir bien faire, car vraiment ces gens sont hantés par le besoin de bien faire, d'être approuvés par les autres, aussi bien par l'autorité que par leurs voisins, que par tout le monde; et c'est très pénible, c'est très dur! J'ai découvert ça dans mon enfance et je ne l'ai jamais oublié»[3].

À seize ans, Georges Sim se considère comme un «petit pauvre». D'éducation catholique, Georges Simenon fréquente l'Institut Saint-André des Frères des Écoles chrétiennes, puis le collège Saint-Servais chez les Jésuites. Le jeune Georges est même enfant de chœur à l'hôpital de Bavière, et, vers l'âge de douze ans, terriblement mystique. Mais il perd bientôt la foi: «Je suis né catholique. J'ai assisté à la messe du dimanche jusqu'à l'âge de treize ou quatorze ans, mais ensuite, j'ai cessé de croire et de pratiquer»[6]. Simenon a eu la chance d'être élevé dans une famille fort nombreuse. Sa mère et son père ont chacun douze frères et sœurs. Ils ne tarderont pas à être trente-quatre petits-enfants. Quel formidable réseau de liens familiaux pour Simenon, avec tous les types sociaux et toutes les destinées imaginables, ou presque! Indubitablement, cette famille, large et étendue, l'aida à mieux connaître et comprendre la «matière humaine». Épinglons encore dans *Pedigree* cette phrase-clé: «Non seulement il calque sa tenue et sa démarche sur celles des petites gens, mais il veut adopter leur façon de penser»[8]. Une attitude mentale fort importante à souligner à la veille de son entrée à la Gazette de Liége, où il exprimera ses idées et sa vision du monde dans un billet quotidien.

1. Par allusion aux richesses charbonnières, on appelle en dialecte wallon les Liégeois et les habitants du pays de Liège «Tièsse di Hoye», c'est-à-dire «Tête de houille», car ils ont la réputation d'être des gens volontaires et têtus.
2. «Je me souviens», pp. 30, 40, 68-69.
3. «Portrait Souvenir», Tallandier, 1963, pp.24-25 et pp. 13-15.
4. «Lettre à ma mère», 1974.
5. Dictée «Jour et nuit», 1981, pp.54-55.
6. Dictée «Un homme comme un autre», 1975, pp.17-18.
7. «Simenon», Collection Cistre, 1980, p.14.
8. «Pedigree», Tome III, p.203.

III

«IL FAUT QUE TU SOIS UN HOMME»

Son père, Désiré, est condamné...

C'est en 1918 que Georges apprend que son père, atteint d'angine de poitrine, n'a plus que quelques années à vivre. C'est à ce moment précis que se joue sa destinée. Il doit quitter le collège Saint-Servais, ce qu'il fait en date du 20 juin 1918, et doit se mettre à la recherche d'un travail. On ne soulignera jamais assez l'influence capitale de cet événement sur la vie de Simenon. Sans exagérer, on peut affirmer que le cours de sa vie change radicalement du jour au lendemain.

«Ton père souffre du cœur. Le Dr Fischer doit revenir demain (...). Tu es un homme maintenant, Roger. Il faut que tu sois un homme, car ta maman doit pouvoir compter sur toi, quoi qu'il arrive (...). Désiré est depuis long-temps atteint d'angine de poitrine et il nous le cachait pour ne pas nous alarmer». Et le petit Georges de répondre à sa mère:
«Tu verras que je t'aiderai. Dès demain, je vais me chercher une place»[1].

Au terme de sa vie de romancier, Simenon se posera lui-même la question: «Quel aurait été mon sort s'il n'avait pas été malade?». Jules Maigret sera confronté à la même situation: il fera deux ans de médecine avant que son père soit atteint lui aussi d'angine de poitrine. C'est ce drame même qui le poussera à abandonner ses études et à choisir le métier de policier.

Au-delà du drame qui le lie à son père, le jeune Georges se voit enfin libéré des murs du collège et de l'ambiance familiale invivable. Roger criera dans *Pedigree:* «Tout est préférable à l'atmosphère de la maison».

Que faisait-il durant cette période d'incertitudes? Tôt le matin et tard le soir, il erre dans les rues populeuses de Liège. «Quel serait mon sort? Je l'ignorais et cette question provoquait souvent chez moi une désagréable angoisse»[2]. Il dira même: «J'avais abandonné mes études. Je ne me sentais aucun avenir. Au fond, certains soirs, je me considérais comme un raté, et je pleurais sur mon lit. Avais-je une vocation? Je ne m'en sentais aucune. Je n'avais que le désir d'écrire, ce qui n'était pas une profession à mes yeux»[3]. Ces quelques lignes soulignent un fait essentiel: Georges Simenon n'a pas découvert son chemin, sa voie professionnelle d'un seul claquement de doigt. Tout au contraire, le jeune Georges ne savait quelle direction prendre...

Il se rappellera cette angoisse et l'évoquera dans un article qu'il adressa en 1954 à la presse belge, depuis sa maison de Lakeville (Connecticut, U.S.A.): «À quelle porte frapperais-je? Qu'est-ce que, aujourd'hui, demain, dans une heure ou dans dix jours, le sort allait faire de moi? Je n'en avais aucune idée. J'avais une vocation, certes, mais dans mon esprit comme dans celui de mon entourage, c'était plutôt une sorte de vice et, si je n'en ressentais aucune honte, je n'y comptais pas pour pourvoir à mes besoins. Écrire des romans! Mes tiroirs contenaient des dizaines et des dizaines de pages noircies d'une fine écriture. J'en noircissais d'autres. Il ne m'en fallait pas moins choisir, et tout de suite, un métier décent, un vrai, comportant un salaire à chaque fin de mois».

Georges, apprenti pâtissier

Il explique alors qu'un ami de son père, qui y était chef de bureau, le «poussait à entrer au Nord-Belge et insistait sur les avantages d'une pension de vieillesse». Sa mère, «probablement à cause d'un de ses cousins établis à Sainte-Walburge (sur les hauteurs de Liège), l'encourageait à devenir pâtissier»[4].

Il a seize ans. Il cherche un emploi. Mais quel emploi? Sans formation spécifique, que faire? Rien ne le tente particulière-

ment, si ce n'est la médecine, mais il ne pouvait en être question. Sa mère insiste lourdement pour qu'il devienne commerçant : «Vendre! Une boutique propre et nette, avec une jolie sonnette à la porte. On l'entend de la cuisine où l'on est occupé à son ménage. Merveilleuse musique! On s'essuie les mains. On s'assure qu'on n'a pas de tache à son tablier. On relève son chignon d'un geste machinal et on sourit d'un sourire avenant.
– Bonjour, madame Plezer... Beau temps, n'est-ce pas? Qu'est-ce que ce sera pour aujourd'hui?»[5].

Georges est rempli d'un doute profond.

Henriette tranche la question en décidant qu'il deviendra pâtissier : «C'est un si bon métier, Roger! As-tu jamais vu un pâtissier dans la misère?»[1].

Du jour au lendemain, Georges se voit ainsi bombardé apprenti pâtissier, rue Jean d'Outremeuse, à deux pas de chez lui. Mais il n'y reste que quinze jours! Des décennies plus tard, Simenon se rappellera encore la recette liégeoise d'un saint-honoré.

Mais alors que faire d'autre? Puisqu'il lit tant, ne vaut-il pas mieux qu'il soit libraire?

C'est ainsi qu'il entre, comme commis libraire, chez L. George-Renkin, 108, rue Cathédrale, au centre de Liège.

Georges, commis libraire

Simenon conservera de cette expérience des souvenirs très précis : «Je suis entré comme vendeur dans une librairie, le libraire Georges, rue Cathédrale, où tous mes amis de collège venaient échanger leurs livres, car il y avait un service de location... C'était assez ennuyeux de servir des amis de collège... Enfin, je me suis fait mettre à la porte un mois plus tard»[6]. En effet! Georges fait un esclandre : en présence d'une cliente, il tient tête à son patron en affirmant haut et clair que *Le Capitaine Pamphile* était, non pas de Théophile Gautier, mais bien d'Alexandre Dumas. La cliente lui donne raison. Son patron lui donne tort et le jette à la rue comme un malpropre.

Dans *Pedigree*, Simenon rapportera cet épisode cinglant : «Monsieur Mamelin, je ne puis tolérer qu'un de mes employés, si recommandé soit-il, se permette chez moi des attitudes insolentes. Veuillez m'attendre dans mon bureau. Roger n'a rien dit, n'a rien fait, n'a pas souri. Ce qui était insolent, c'était évidemment son calme, sa confiance en lui et en Dumas. (...). Roger va s'excuser. Il y est décidé. Il est prêt à jurer qu'Alexandre Dumas n'a jamais écrit *Le Capitaine Pamphile,* mais déjà le tiroir du bureau s'est ouvert, les mains aux veines saillantes, les mains de vieillard comptent des pièces de monnaie et des coupures.

– Voilà cinquante francs. Voici en outre vingt-cinq francs pour votre congé. (...). Adieu, monsieur. Je vous souhaite bonne chance et un peu plus de respect pour vos aînés».[2]

Cet homme sévère et sans pitié, Georges Sim le croquera d'une plume acide et virulente quand il écrira, à l'âge de dix-sept ans et demi, alors reporter à la Gazette de Liége, un roman picaresque, intitulé *Jehan Pinaguet, histoire d'un homme simple.* Ce libraire y prendra les traits d'un vieil homme grave et méticuleux.

Au bout du compte, le jeune Georges vient de "brûler" deux emplois en un mois et demi. Sa famille n'a pas les moyens de lui assurer une adolescence dorée. Oui, mais voilà, il tient à «faire des expériences». Simenon n'aura besoin que d'une seul phrase dans *Pedigree* pour lire les lignes de son destin: «Il n'est pas né davantage pour être pâtissier que pour être commis de librairie»[1].

---

1. «Pedigree», Tome III, pp.191-193 et p.144.
2. «Mémoires Intimes», 1981, pp.10-11.
3. «Dictée «Tant que je suis vivant», 1978, p.77.
4. Lakeville, Connecticut, 7 mai 1954, extrait de l'annuaire 1955 de l'Association Générale de la Presse Belge (A.G.P.B.).
5. «Je me souviens», p.68.
6. «Portrait Souvenir», 1963, p.56-57.

IV

GEORGES SIM SUIT LES TRACES DE ROULETABILLE

Un peu par hasard, le jeune Simenon ne sachant trop où aller, rôde et flâne un jour aux alentours du centre de Liège. Simenon fit renaître en 1954 cette journée divine resté gravée dans sa mémoire: «... Le Grand Bazar...Vaxelaire-Claes... L'Innovation... En face, je voyais la façade crémeuse du *Café du Phare* où l'on donnait alors des films à épisode, le bâtiment plus étroit de *La Populaire,* un magasin de porcelaines. Pourquoi mon regard s'est-il accroché, au coin de la rue de l'Official, à un balcon sur lequel de grosses lettres blanches formaient les mots *Gazette de Liège?* Un camion déchargeait des bobines de papier journal qu'on roulait dans le corridor. Je crois bien que je n'avais jamais eu la curiosité de lire un journal. Chaque matin, un gamin glissait *La Meuse* dans notre boîte aux lettres, mais mon père était le seul à le lire. J'ignorais jusqu'à l'existence de la Gazette, à plus forte raison de sa couleur politique, et probablement même ignorais-je encore que les journaux en ont une. J'ai traversé la place qu'on appelait alors la Place Verte. Je me suis souvent demandé ce qui m'a poussé à cette démarche et je me le demande encore. Est-ce parce que, trois semaines plus tôt, j'avais lu les aventures de Rouletabille».

Oui, M. Simenon, vous dites juste! À cette époque, Georges a pour modèle Rouletabille, le héros des romans de Gaston Leroux. Il avait lu notamment *Le mystère de la chambre jaune* qui l'avait «fortement impressionné». Il était mon modèle. «Je portais d'ailleurs un imperméable comme Rouletabille, un chapeau avec le devant bien baissé, et je fumais une courte pipe pour lui ressembler»[1].

Voilà donc le gamin Simenon qui s'engouffre dans le couloir obscur de la Gazette de Liége…

Ce journal , catholique conservateur, est alors dirigé depuis 1910 par M. Joseph Demarteau, troisième du nom. Les bâtiments du journal se situent au numéro 2 de la rue de l'Official, tandis que l'imprimerie est installée au numéro 8 de la rue Saint-Michel. Ces deux rues, aujourd'hui disparues, étaient parallèles, à deux pas de la Place Verte qui, dans l'après-guerre, deviendra la Place du Maréchal Foch. La Place Saint-Lambert, cœur historique de Liège, est à un jet de pierre.

Le jeune Georges portait ce jour-là ses premiers pantalons longs. Plusieurs versions des faits divergent quant à l'accueil qui lui fut réservé.

Il se présente au rédacteur en chef, sans même savoir ce que ce vocable signifiait précisément ; il était d'une innocence totale. Après avoir refusé de le recevoir, le directeur se serait vu forcer la porte. Pour s'en débarrasser, M. Demarteau lui aurait demandé de lui rapporter un article dans l'heure. Vingt minutes après, ce sacré gamin aurait été de retour. Surpris par le style juste et coloré déployé par Simenon, il l'aurait engagé sans autre forme de procès.

Selon une autre version, le directeur n'aurait pas pu le recevoir, car il était à cette époque en vacances. Et Simenon entra, comme tout un chacun, par la petite porte, en débutant aux "chiens écrasés", en bas de l'échelle.

Dans l'article qu'il envoya de Lakeville à la presse belge en 1954, Simenon se plaît à décrire le bureau dans lequel il entra ce jour-là pour la première fois: «Quelques minutes plus tard, je me trouvais la gorge serrée, dans un bureau gothique, en face d'un monsieur à barbe sombre, vêtu d'une redingote noire, qui m'observait d'un air amusé, et, comme si je portais en moi cette question depuis toujours, je lui déclarais avec force:

– Je veux devenir reporter.

Que serait-il arrivé si Joseph Demarteau m'avait demandé quelles sont les attributions d'un reporter? Il ne l'a pas fait. Sans trop y croire, j'en suis sûr, il m'a donné ma chance et, lorsque je suis sorti de l'immeuble de la rue de l'Official, j'étais chargé à l'essai de la chronique locale, ma première tâche consistant de rendre compte d'une foire aux chevaux qui se tenait ce jour-là sur je ne sais plus quel boulevard».

Cette dernière version se rapproche très fort de la version que Simenon livrera en 1976: «Je demande à Demarteau si je peux être reporter. Celui-ci lui répond:
– Qui êtes-vous?
– Je ne suis rien, j'ai simplement travaillé à la librairie Georges, rue Cathédrale, et je me suis fait mettre à la porte.
– Est-ce que vous avez des références?
– Il y a celle-là, si je puis dire.
– Oui, mais enfin, votre famille, vos relations?

Je cite alors mon cousin – qui s'appelait Georges Simenon lui aussi et qui était évêque de Liège; mon oncle, vice-président de la banque Une telle. Il y avait deux trois riches dans la famille, alors que nous étions en général une famille de pauvres, en tout cas de petites gens, d'artisans, surtout du côté de mon père. Le rédacteur en chef me dit alors:
– Je connais très bien votre oncle, nous faisons partie du même conseil d'administration de la même banque.
Il donne quelques coups de téléphone, et finit par me dire:
– Nous allons faire un essai. Demain, vous allez faire comme si vous étiez chargé de la rubrique locale: c'est-à-dire les chiens écrasés; lisez la chronique locale et vous la referez comme si elle devait paraître.

J'étais très embarrassé. Je me mets à lire le journal, et j'apprends par exemple que le lendemain il y avait la foire aux chevaux. J'y vais. Je demande le nombre de chevaux, le prix moyen des chevaux, etc. Enfin, je réunis toute une série de petites histoires de ce genre-là, je vais au commissariat de police, au commissariat principal, demander s'il y a eu des accidents, des crimes, etc. Il n'y avait pas de crimes, mais un certain nombre de vols à la tire, d'entôlages»[1].

À la recherche de la date la plus précise concernant l'entrée de Simenon à la Gazette, toute l'édition de l'année 1919 a été parcourue avec attention. Jusqu'alors, il paraissait établi que le tout premier article paru dans la Gazette de Liége datait du 16 mars 1919, intitulé *Dans les prisons boches*. Suite à nos investigations, nous avons découvert un article signé *G. Sim* qui porte pour titre: *Sensassionnel (SIC) défilé aux Terrasses*, datant du 24 janvier 1919.

Simenon fut donc engagé au début du mois de janvier 1919. La preuve en est donnée par la date du fameux marché aux chevaux auquel Simenon se réfère dans ses souvenirs. Ce marché n'eut lieu qu'à deux reprises en janvier 1919: les 6 et 24 janvier. Il ne peut s'agir par conséquent que du marché antérieur à son article publié le 24 janvier 1919. Nous pouvons lire le compte rendu de ce tout premier marché aux chevaux survenu après l'Armistice dans la Gazette du mardi 7 janvier 1919: «Depuis plus de quatre ans, nous n'avions plus eu de foire aux chevaux en notre ville. Il s'en est tenu une ce lundi, au quai de la Boverie et sur la place. Les chevaux n'étaient pas nombreux et les prix étaient fort élevés. C'est dire qu'il y a eu peu de transactions».

Simenon lui-même confirme le résultat de ces recherches, à travers les confidences qu'il fit en 1954 de Lakeville: «C'était un matin, *au début de janvier 1919*. Il s'en fallait d'un peu plus d'un mois pour que j'aie seize ans. Je me souviens qu'un soleil aigrelet baignait les rues et que, vers dix heures, j'errais sur le trottoir de la place Saint-Lambert. Ce que je cherchais, les mains dans les poches, la pipe aux dents, ce n'était pas le pittoresque grouillement des rues de ma bonne ville de Liège, encore moins la tentation des étalages qui, deux mois à peine après l'Armistice, étaient à nouveau bourrés de marchandises».

«Comment écrivez-vous "Bazar"?...»

Comment va se débrouiller et se défendre le gamin parti faire la chronique locale à titre d'essai? Il revient haletant présenter son papier à M. Demarteau III.

Mais, ce jeune journaliste en herbe a-t-il au moins une chance d'être engagé? Non seulement, il a une chance de l'être, mais il semble même les avoir toutes. Nous sommes en effet au lendemain de l'Armistice. Les journaux liégeois reparaissent seulement depuis le 27 novembre 1918. À cette date, la plupart des quotidiens n'arrivent à offrir que deux simples pages (recto-verso) à leurs lecteurs et ce, pendant de longs mois. Bref, les rédactions se réorganisent à l'allure d'une tortue. Il est un fait en tout cas indéniable: la dispersion du personnel d'avant-guerre se fait cruellement sentir. Un simple exemple: à la rubrique locale de la Gazette de Liége, on ne trouve que deux rédacteurs. Et encore, l'un d'eux, Désiré Drion, chef de la rubrique locale, se fait vieux. C'est toute une génération de jeunes que la Grande Guerre vient de faucher. À la Gazette, un troisième rédacteur ne serait certainement pas de trop.

Simenon n'a plus qu'à convaincre M. Demarteau. Celui-ci prend son article et le lit... Dans l'ensemble, ce papier lui plaît. Mais voilà qu'il réagit: un petit détail le chagrine un rien. Il invite alors Georges à le suivre sur le balcon et lui demande:

«Qu'est-ce que vous voyez devant vous?

Je lui dis:

– La place Saint-Lambert.

– Oui, mais qu'est-ce que vous voyez d'autre?

– Ben, il y a deux magasins: l'Innovation, Vaxelaire-Claes.

– Et puis?

– Le Grand Bazar, bien entendu.

– Comment écrivez-vous *Bazar?* Regardez bien.

Je lui avais écrit quelque chose sur son bureau et j'avais mis le mot *Bazar* avec un *d* comme dans *hasard.*

– Vous avez remarqué qu'il n'y a pas de *d,* dit-il. Il faudra tout de même vous corriger et essayer de ne pas faire de faute comme celle-là dans vos articles. Et voilà comment j'ai été engagé à la Gazette[2].

À ce propos, il existe aussi une autre version des faits. C'est Simenon lui-même qui l'énonce en 1943 à un journaliste liégeois, Théo Claskin, pour le journal *La Légia.* Sous le titre *Simenon évoque ses souvenirs de journaliste liégeois,* il affirme dans les éditions du mercredi 23 juin 1923 que c'est en fait le vieux "papa Drion" qui lui aurait fait la leçon: «Je présentai mon article au vieux Drion, chef de la rubrique locale. Il le lut, puis, me prenant soudain par la manche, il me conduisit jusqu'à la fenêtre, d'où l'on voyait la place Saint-Lambert.

– Que voyez-vous, me dit-il?

Je regardais avec attention, écarquillais les yeux, mais je ne pus rien découvrir d'anormal, absolument rien.

Drion m'observait d'un œil narquois.

– Regardez bien, vous ne voyez rien?

J'étais au désespoir. Était-ce donc possible que je ne voie pas ce qu'il voyait?

– Allons donc... Quel est ce grand bâtiment là-bas?

– C'est le Grand Bazar, dis-je.

– Oui. Et rien ne vous frappe?

– Non, rien de particulier, avouai-je, dépité.

– Vous êtes certain d'avoir bien regardé? Que lisez-vous sur la façade?

– Grand Bazar de la...

– Ah!... Enfin!... Vous lisez *Grand Bazar*. Et vous ne remarquez donc pas que *Bazar* s'écrit sans *d* à la fin? Si vous y aviez déjà prêté attention, vous n'en auriez pas mis un dans votre copie. J'étais terriblement honteux de cette inattention. Je me sentis rougir comme un écolier pris en faute. Drion en profita pour me faire un petit laïus sur la nécessité pour le journaliste, d'observer et de noter tout. Je fus néanmoins engagé».

Simenon devait se rappeler cette toute première leçon toute sa vie: non seulement apercevoir et voir, mais aussi percevoir, observer, enregistrer.

La grande aventure allait bientôt commencer. Elle durera de début janvier 1919 jusqu'au 15 décembre 1922. Simenon va découvrir les coulisses de sa petite ville, comme il l'expliqua de sa maison de Lakeville en 1954: «Ce matin de janvier, place Saint-Lambert, je n'étais qu'un enfant pour qui la vie ressemblait encore à un livre d'images. Soudain, je me trouvais transporté dans les coulisses, face à face avec la réalité crue et, pendant quatre ans, j'allais voir l'envers du décor, découvrir les ressorts, cachés au public, qui animent la vie d'une cité». Simenon évoqua en 1960 toute la richesse d'une telle expérience: «De la pâte humaine, on n'en manque pas, on en brasse à pleines rotatives. Car tout est humain dans ce que dévore cette machine; cinquante mille personnes hagardes qui vibrent à un match de boxe ou à un meeting politique; l'accident d'auto ou de tramway qui transforme le cours de plusieurs existences, le drame sanglant qui bouleverse des familles; le rôdeur, le voleur, le pâle voyou, le toxicomane en mal d'un peu de drogue, l'homme politique qui vient mendier des voix ou le brave homme en quête d'une décoration, d'une présidence d'une société quelconque, de quelque chose, de n'importe quoi, qui le sorte de sa médiocrité...

N'est-ce pas merveilleux, pour un gamin, de se plonger dans tout cela? Toutes les portes s'ouvrent soudain. Les murs opaques perdent leur opacité. On pénètre les secrets des vies. On accourt, un bloc-notes à la main, auprès du cadavre encore chaud, on suit la voiture de police, on frôle l'assassin enchaîné dans les couloirs du palais de justice, on se mêle aux grévistes, aux chômeurs, que sais-je encore?

Quelques minutes avant, je n'étais rien qu'un collégien sans langue. Le temps de franchir un seuil, de m'expliquer en tremblant avec un monsieur barbu, aux ongles noirs, sorte d'oracle pour lecteurs moyens de sa ville, et je pouvais croire que le monde m'appartenait. »

---

1. «À la découverte de la France. Mes apprentissages 1.», 1976, pp.12-13.
2. «Simenon reçoit Victor Moremans», 1970, p.3.

LA
GAZETTE DE LIÉGE

offre- aux Annonceurs

Un Tirage considérable

Servie par abonnements, la **Gazette de Liége** pénètre dans les foyers, où elle est lue chaque jour par tous les membres de la famille, ce qui quintuple le nombre de ses lecteurs.

Une large circulation

couvrant tout l'Est Belge — villes et campagne — soit la moitié de la Belgique.

Une Clientèle d'Or

réunissant l'élite de toutes les classes et de toutes les professions — celle qui achète et qui paye.

BUREAUX :
2, rue de l'Official, 2, LIÉGE

Aujourd'hui encore, le titre «Gazette de Liége» comporte un «é» – un accent aigu! –, ce qui correspond au français dialectal de Liège.
Par contre, la Ville de Liège décida en 1946 de s'aligner sur la position de l'Académie Française qui avait remplacé (*) l'accent aigu par un accent grave en… 1878!

(*) pour des mots tels que «piège», etc.

V

GEORGES SIM ET LA PRESSE LIÉGEOISE

La Gazette de Liége, de 1840 à 1919.

Le 4 avril 1840, M. Joseph Demarteau I (1810-1863) publie le premier numéro de la Gazette de Liége. Il répond de la sorte au désir de son évêque, Mgr Van Bommel, et reprend ainsi le titre qu'avait porté pendant un siècle la Gazette privilégiée des Princes-Évêques, pratiquement disparue depuis une quinzaine d'années.

La toute première allusion à l'existence d'une Gazette de Liége est faite dans un écrit datant de 1688.

Il semble qu'elle fut le premier journal liégeois, et même le tout premier journal belge.

Mgr Van Bommel exhorte M. Demarteau à publier une Gazette. Car le seul journal catholique de la région, *Le Courrier de la Meuse,* s'apprête à quitter Liège; le 31 décembre 1840, il émigrera dans la capitale sous le titre de *Journal de Bruxelles.* Il fallait donc réagir avant son départ.

En juin 1843, la Gazette de Liége s'établit au numéro 6 de la rue en Neuvice; puis, en février 1849, dans un immeuble du Fonds Saint-Servais. Elle fut la première à Liège à réaliser avec *Les Nouvelles du Jour* la combinaison avec un journal populaire. En format réduit et d'un prix minime, ce titre élargissait peu à peu l'horizon socio-culturel de son lectorat.

En 1863, à la mort de son fondateur, la Gazette de Liége devient une société en commandite par actions, *J. Demarteau et Cie*. En 1870, elle se fixe en plein centre de Liège, au numéro 6 de la rue Saint-Michel et au numéro 2 de la rue de l'Official. Les deux bâtisses se touchent par le dos; elles formèrent les locaux du journal du 25 décembre 1871 au 26 janvier 1929. En 1879, la société en commandite par actions devait cesser: la famille Demarteau entre à nouveau dans la pleine propriété du journal.

M. Joseph Demarteau II (1842-1910) s'occupa à moderniser le journal. En 1895, une presse rotative, première du genre dans la province de Liège, fut installée dans les locaux de la rue Saint-Michel. C'est lors de l'Exposition Universelle de 1905 qu'une seconde rotative fut acquise.

Sous le pseudonyme de *L. H. Légius,* Joseph Demarteau II fit paraître des *Chroniques liégeoises* hebdomadaires. Il abordait dans ces Chroniques les questions aussi bien politiques qu'archéologiques ou littéraires de sa bonne ville. À sa mort, en 1910, c'est son fils, Joseph Demarteau III, avocat, qui prit la relève. C'est lui qui allait accueillir Georges Simenon au début de janvier 1919.

Durant toutes les hostilités de la Grande Guerre, la Gazette de Liége se condamna au silence et suspendit son tirage. Contre sa volonté, les Allemands réussirent à lancer dans les derniers mois de la guerre *Le Peuple Wallon* qui fut imprimé sur ses presses.

Durant cette première guerre, Liège fut ravitaillée en informations par *Le Courrier de la Meuse* qui était imprimé à Maestricht . Ce sont des journalistes belges émigrés en Hollande qui le rédigeaient. De nombreux journaux français passaient également la frontière, tels *Le Journal, Le Figaro, Le Matin.*

Dans l'après-guerre, les éditeurs décidèrent de fusionner Les Nouvelles du Jour et la Gazette de Liége sous un seul et même titre, résolvant ainsi certaines difficultés d'impression et emboîtant le pas, de la sorte, à l'évolution sociale.

Le jeudi 28 novembre 1918, un bulletin provisoire se distribue dans les rues de Liège, portant le numéro 1 de la 79ème Année, sous le titre *Gazette de Liége - Nouvelles du Jour.* Un titre en caractères gras barre toute la une: «Résurrection». On peut y lire: «Après quatre ans passées dans l'ombre et le silence, la Gazette de Liége revoit le jour et reprend son rôle d'organe de l'opinion publique. Notre sort fut celui de tous les industriels qui refusèrent de travailler pour l'occupant».

Le 27 juin 1919, la Gazette fut constituée en société coopérative. C'est donc cette forme juridique que connait le journal durant le passage de Georges Simenon de 1919 à 1922. Dans l'Annuaire officiel de la presse belge se trouve la preuve incontestable et incontestée de la présence (turbulente) de Georges Simenon au sein de la rédaction.

Le journal changera de siège le 11 mai 1929, s'établissant aux numéros 32-34 de la rue des Guillemins jusqu'au 11 novembre 1963. À cette date, la Gazette se fixera rue de Waroux 23, dans le quartier Sainte-Marguerite.

À la mort de Joseph Demarteau III, en 1959, le flambeau réussit de nouveau à passer dans les mains de la génération suivante. Son fils, Joseph Demarteau IV, assura la direction du journal jusqu'en 1969. La Gazette de Liége sera alors absorbée en 1967 par *La Libre Belgique,* journal national.

Les autres journaux liégeois en 1919

La Meuse, journal quotidien sis boulevard de la Sauvenière, fut fondé en 1855 par les chevaliers Léon et Charles de Thier et par un groupe d'hommes politiques, industriels et financiers.

Dans les années qui précèdent la Grande Guerre, ce journal assure la publication d'un journal-diminutif, le *Petit Populaire.* Sous l'occupation allemande, La Meuse cesse de paraître dès le 6 août 1914. À l'Armistice, elle redevient comme auparavant, l'organe de l'opinion libérale liégeoise. Elle est aussi «un journal mondain, et une large place est réservée dans ses colonnes aux nouvelles locales».

Deux rédacteurs de La Meuse seront les excellents amis de Georges SIM: Georges Rémy, dit Georges REM, et H.J. Moers avec lequel il écrira le roman, inachevé, *Bouton de col,* une satire du roman policier, tantôt écrit à la main, tantôt à la machine.

La Wallonie socialiste, sise rue Saint-Michel fut créée à l'initiative de Isidore Delvigne, en 1919, par la société coopéra-

GAZETTE DE LIÉGE

Organe quotidien, 81e année. — Rue de l'Official. 2.

Téléphones : Rédaction; 958 et 3808. — Administration. 906.

Directeur-Rédacteur en chef : M. Joseph Demarteau.

Administrateur-Gérant : M. Henri Somzé.

Secrétaire général : M. Desiré Drion.

Secrétaire de la Rédaction : M. P. de Bonnier.

Rédacteurs : MM. H. Chapelle. E. Gillard. G. Simenon.

Rédacteurs chroniqueurs : MM. Albert Dessart. François Carez L. Graulith.

Gazette de Liége.

Organe catholique quotidien, 83e année. — Rue de l'Officiel, 2.

Téléphones : Rédaction, 958 et 3808. — Administration. 906.

Directeur-Rédacteur en chef : M. Joseph Demarteau.

Administrateur-gérant : M. Henri Somzé.

Secrétaire de la Rédaction : M. Paul de Bonnier.

Rédacteurs : MM. A. Dessart. H. Chapelle, L. d'Ardenne. E. Gillard, G. Simenon.

Collaborateurs : MM. Agricola, D. Closson, Th. d'Outremeuse, A. Fasbender, P. Freumont, J. Groven, O. Lohest, E. Paulus. R. T., etc.

Correspondants : MM. A. Thomas (Bruxelles) ; A. Keller (Paris) ; G. Delvaux (Allemagne occupée), etc.

Le Bottin de la Presse belge

Schepens, Edm., 14, rue Fernand Séverin, Bruxelles.
Simenon, Georges, 29, rue de l'Enseignement, Liége.
Simonet, Henri, 64, rue des Arbalétriers, Mons.
Solvay, Lucien, 76, rue Gachard, Bruxelles.

tive *La Presse socialiste.* À cette époque, Ernest Bologne en est le rédacteur en chef. Parmi les rédacteurs, épinglons Léon Troclet et Paul de Blauwe. Ce dernier deviendra plus tard sous la plume de Simenon un des personnages du roman *Les trois crimes de mes amis.* Aujourd'hui, ce journal paraît sous le titre *La Wallonie.*

L'Express, journal littéraire et politique, situé boulevard d'Avroy, fut fondé en 1892 pour servir de fer de lance aux libéraux progressistes liégeois. Ce titre n'existe plus aujourd'hui.

Le Journal de Liège, feuille politique, littéraire et commerciale créchait rue des Dominicains.

Ce quotidien, fondé en 1764, était «l'organe du monde industriel, financier et commercial du pays de Liège. La publicité proclame qu'il est lu par l'élite de la population. «Très répandu dans la haute société et dans la bonne bourgeoisie, il pénètre également dans les campagnes où il est lu par les gros propriétaires terriens. Sa clientèle est choisie et de premier ordre». Ce journal n'existe plus.

Le National Liégeois, était installé passage Lemonnier.

Ce sont Victor et Louis Jourdain qui fondent en 1890 Le National Liégeois, quotidien catholique, comme succédané du journal *Le Patriote* dont ils sont les directeurs. Ce journal a, lui aussi, disparu.

VI

GEORGES SIM, QUI ÊTES-VOUS?

Un lecteur infatigable

Depuis des années déjà, Sim est un lecteur infatigable. Il est pris dans le tourbillon d'une boulimie livresque sans fond. «Je ne sais pas quand je dormais. Je passais le plus clair de mon temps à avaler des livres»[1]. Tentons d'établir un relevé de ses lectures. À seize ans, Sim avait déjà lu les œuvres de nombreux russes: en tout premier Gogol, sans oublier Gorki, Tolstoï, Dostoïevsky, Pouchkine, Tchékov, et bien d'autres. Chaque jour, il se plaît à lire - par simple curiosité - la bible et les évangiles. Et, durant des années et des années, il dévore littéralement les auteurs français: Balzac, Dumas, Stendhal, Flaubert, Chateaubriand, etc. Mais il lira encore de nombreux autres auteurs. Citons, pêle-mêle: Paul de Kock, F. Cooper, W. Scott, Labiche, Comte, Dickens, Shakespeare, Augier, etc.

Sim n'oublie pas de se ravitailler: il passe des heures à chiner et farfouiller dans les librairies. Il est passionné par les livres anciens et aime sentir l'odeur du vieux papier. Dans *Les trois crimes de mes amis,* il décrira les manigances d' un librairie véreux, Hyacinthe Danse, qu'il connut à Liège.

C'est à cette époque qu'il aura un coup de folie, entre autres, pour la collection complète des *Budé,* qui présente les auteurs latins et grecs. Il achètera cette collection sans hésiter un seul instant. Une autre occasion de rêve: il découvrira l'œuvre complète de Montaigne dans une édition reliée. Il nourrira toute sa vie une profonde admiration à l'égard de Montaigne.

À l'époque de la Gazette, les *Essais* sont ses livres de chevet. Sim est alors traversé par la passion de la bibliophilie. C'est avec les éditions rares, que Sim aura thésaurisées à Liège, que Georges Simenon se paiera des camemberts à son arrivée à Paris ou s'offrira des filles sur le boulevard des Batignolles.

Dans l'univers de la lecture, sa mère ne fut pas une alliée. Tout au contraire! Simenon confiera en 1963: «Ma mère, qui n'avait rien lu, ne voyait pas ce que je lisais, ne savait pas ce que c'était, mais elle répétait: «Tu passes ton temps dans ces sales livres au lieu d'aller prendre le bon air dehors». Elle avait horreur de me voir lire, car je m'enfermais dans un coin, ou je me mettais à côté du poêle, et je vivais enfermé en moi-même. Mon père, lui, au contraire, qui avait fait ses humanités, et qui était donc assez cultivé, aimait me voir lire[2]».

Il trouvera en la personne de Théodore Gobert un conseiller de lecture très éclairé. Ce dernier fut notamment l'auteur d'une œuvre impressionnante, tant par la qualité que par l'étendue, intitulée: *Liège à travers les âges. Les rues de Liège*. Théodore Gobert collabora durant de longues années à la Gazette de Liége; il en fut même le secrétaire de rédaction en 1866. Dans une de ses *Dictées*, Simenon décrit les circonstances de sa rencontre avec ce personnage haut en couleurs: «J'ai beaucoup écrit sur mon enfance, mon adolescence, sur la ville de Liège et ses habitants. Comment ai-je pu oublier totalement jusqu'à hier soir ce que je pourrais appeler la «période Gobert?». Et de s'interroger: «Quand suis-je allé le voir pour la première fois? Probablement à l'âge de seize ans, lorsque je suis entré à la Gazette de Liége. Je devais avoir besoin d'un renseignement sur un des événements anciens de la ville ou de la région. On m'avait dit:
– Allez voir Gobert.

M. Gobert était l'archiviste provincial et, dans son capharnaüm où il passait seul toutes ses journées, il travaillait lentement, mais sûrement à une Histoire du Pays de Liège. Comment sommes-nous devenus amis, le gamin que j'étais et lui, je l'ignore; j'ai pris l'habitude d'aller au moins une fois par semaine me faufiler dans les corridors et les escaliers compliqués. Je revois même les couloirs étroits et tortueux du Palais provincial. Il avait l'air de m'accueillir avec plaisir, peut-être parce que de mon côté, je me mettais à me passionner pour son travail. Il me montrait des chartes qu'il me traduisait patiemment, des lettres de personnages illustres, me racontant l'histoire de l'église Saint-Jacques, du retable de l'église Saint-Denis ou celle de la maison Havard. Quoi de plus étonnant à ce que l'antre de M. Gobert me soit apparu comme l'univers idéal, avec ses senteurs de très vieux papiers? Dans cet antre, j'apprenais de sa bouche les diverses faces qu'avait présentées ma vieille ville au cours des temps et il m'arrivait de courir vers telle ou telle église pour contempler respectueusement un vestige du passé. Quelle belle occupation que de reconstituer, presque année par année, deux mille ans d'histoire, aussi bien d'histoire guerrière et politique, que l'évolution des mœurs et la naissance des coutumes!

Comme M. Gobert n'avait guère le souci de sa toilette, je me laissais aller volontairement à un certain débraillé et je ne me curais plus les ongles qui restaient bordés de noir comme au temps du tabac à priser. C'est à cause de lui et de l'odeur des vieux papiers qu'il portait jusque dans ses vêtements, que je me suis mis à courir les bouquinistes et à acheter les ouvrages les plus anciens que je pouvais trouver. Cette passion a duré deux ans, après quoi je n'ai plus revu M. Gobert qu'incidemment, car les femmes, toutes les femmes, n'importe quelles femmes, avaient envahi ma vie et ne me laissaient pas de répit»[3].

Un affamé de femmes

À seize ans, non seulement Geoges Sim est un coureur de jupons, mais c'est surtout un éternel affamé, et cela à tous égards, un affamé inlassablement en chasse. «J'avais faim, oui, faim de tout, des traces de soleil sur les maisons, des arbres, des visages, faim de toutes les femmes que je voyais. J'avais faim de vie et j'errais dans les marchés à contempler ici les légumes, là les fruits multicolores, ailleurs les étals de fleurs. Grand nez, oui, car j'aspirais la vie par les narines, par tous les pores, les couleurs, les lumières, les odeurs et les bruits de la rue. Tout comptait, une silhouette de femme à peine entrevue, les visages qui défilaient comme ceux des tableaux dans une exposition de peinture, le jaunissement du feuillage et le vert soyeux des gazons au soleil»[4].

C'est à Liège que Georges Sim commença à consacrer beaucoup de temps et beaucoup d'argent à la traque de femmes. «J'avais faim de toutes les femmes que je croisais et dont la croupe ondulante suffisait à me donner des érections presque douloureuses. Que de fois ai-je assouvi cette faim-là avec des gamines plus âgées que moi sur le seuil d'une maison, dans une rue sombre? Ou bien j'entrais dans une de ces maisons à la fenêtre de laquelle une femme plus ou moins grasse et désirable, tricotait, placide, pour fermer le rideau jaunâtre dès l'entrée d'un client. D'autres rideaux me faisaient rêver la nuit tombée, quand, derrière leur écran à peine lumineux, j'apercevais en ombre chinoise un homme, une femme qui allaient et venaient comme si le couple qu'ils formaient était ainsi à l'abri du monde et de ses réalités»[4].

Par ailleurs, Simenon, toujours friand de précisions, confia: «À l'époque de la Gazette de Liége, j'avais deux femmes à ma disposition chaque jour, et pourtant, presque chaque jour, il m'arrivait à un moment ou l'autre d'être comme un chien en chasse. À la même époque, j'ai passé des soirs et des soirs, tout seul, dans les rues les plus mal famées, où je risquais un mauvais coup à chaque tournant»[5]. C'est dans son tout premier roman, intitulé *Au Pont des Arches* (1921) qu'il rendit compte de cette insatiable fringale sexuelle. Sim sous-titra cette première œuvre: *Petit roman humoristique de mœurs liégeoises*. Il songeait en effet à cette époque devenir humoriste. Le chapitre V retiendra notre attention. Il porte pour titre: *De l'argent et des liaisons sentimentales*. Georges Sim se devine sans difficulté aucune sous les traits de *Paul Planquet*. Celui-ci vient de promettre à sa maîtresse de louer une chambre. Il se met donc à la recherche d'un garni dans les rues qui avoisinent l'hôpital de Bavière, non loin de chez lui. Paul prétexte auprès de ses parents un voyage de deux jours à Anvers pour obtenir l'argent nécessaire. C'est ainsi qu'un billet de cent francs lui tombe dans l'escarcelle. Ses rêves deviennent réalité: «Il avait maintenant sa «maîtresse», «son» appartement… Un sourire de pitié lui vint aux lèvres en songeant au jeune homme timide et naïf qu'il était il y a une semaine encore». Mais l'éducation sentimentale de Paul Planquet coûte cher et ne cesse de troubler sa vie de jeune homme rangé: «Ce fut dès lors pour Paul Planquet une vie cahotée, désordonnée, le bouleversement de toutes les petites habitudes dont se composait la vie réglée qu'il menait.

(...) La matinée se passait à trouver l'argent qu'il dépenserait le soir».

Tous les jours, pour se rendre à la Gazette, Sim passe devant la vitrine d'un bordel, boulevard de la Constitution. Un soir, vers 10 heures, il ne voit pas la silhouette habituelle, mais «une splendide négresse. Et, du coup, je sens qu'il est indispensable que j'entre et que je fasse l'amour avec elle. Je n'avais jamais connu de négresse. Je n'avais qu'un peu de monnaie en poche. J'ai hésité. Mon père était déjà malade, condamné. Depuis peu, il m'avait donné sa montre, une montre en argent, aux armes de la Belgique, qu'il avait gagnée au tir à l'arme de guerre, car mon père était un tireur passionné. (...) Honteusement, j'ai payé avec la montre et c'est un des gestes que je regrette le plus, non pour des raisons morales, mais parce que j'aimerais tant avoir encore ce souvenir de mon père qui devait mourir un an plus tard. À la maison, j'ai été obligé de mentir. Puis de déclarer la perte de la montre à la police»[5].

Simenon transposera dans le roman *La Danseuse du Gai Moulin* cet attrait irrésistible qu'il a toujours eu à la fois pour la vie nocturne et les femmes: «On va au «Gai Moulin», ce soir?... Il y a une danseuse épatante... C'était encore plus grisant. Les banquettes grenat. L'atmosphère lourde et chaude, parfumée, avec la musique, (...) et surtout la familiarité des femmes aux épaules nues qui relevaient leur robe pour tendre leurs bas»[6]. Le journaliste Jean Chabot, dans ce même roman, rend visite à la divette qu'il courtise, après avoir fait le tour des journaux liégeois: «Le quotidien à la main, Jean arrivait au guichet du journal La Meuse, y remettait les annonces légales et attendait son reçu. (...) Il alla encore à L'Express, au Journal de Liège... (...) Il poussa la porte du rez-de-chaussée, à côté de l'épicerie, gravit l'escalier sombre, frappa. Sur le lit défait, il vit un numéro de la Gazette de Liége. Il la regardait aller et venir, en proie à un sentiment trouble où il entrait de la mélancolie, du désir, un respect instinctif de la femme et du désespoir».

Par ailleurs, dans *La rue aux trois poussins,* Simenon n'écrit-il pas: «Il s'est laissé entraîner par des amis dans un café où il y avait des femmes. Ils ont payé des tournées. Pas toutes. À la fin, ils n'avaient plus assez d'argent et Bilot a laissé sa montre en gage».

Comme le dira Simenon d'innombrables fois: «Ma connaissance des hommes, je l'ai acquise dans la rue, dans les bistrots, dans les boîtes de nuit honorables ou non et dans les bordels»[7].

Un noceur impénitent

Ah! l'argent, parlons-en! Georges Sim dépense à tout vent et fait des dettes de tous côtés. Ces attitudes deviendront vite des habitudes. Plus tard, Simenon répétera souvent: «L'argent en banque, c'est de la vie en conserve».

«À la Gazette, j'avais l'habitude d'emprunter deux ou trois mois de mon salaire à la caissière et je me demande encore comment, en fin de compte, je m'y suis pris pour rembourser»[2]. Mais, somme toute, quel était son salaire? En juillet 1984, Simenon nous précisa par lettre: «Lorsque je suis entré à la Gazette de Liége à l'âge de seize ans, j'ai touché, le premier mois, un salaire de 45 francs. Ce salaire a été augmenté de mois en mois, de sorte que, après une année, il était de 180 francs, c'est-à-dire la salaire que mon père, expert-comptable dans une compagnie d'assurance, touchait lui-même». Mme Aitken, la secrétaire de Georges Simenon, nous livra à la même date les chiffres suivants, sur base des renseignements fournis par Simenon. «Premier mois: 45 francs; second mois: 90 francs; troisième mois: 250 francs, alors que son père en gagnait 180!». En septembre 1982, au cours d'interviews accordées à feu le professeur Maurice Piron, alors président du Centre d'Études Georges Simenon de l'Université de Liège, le romancier lui déclara qu'il aurait déjà gagné 120 francs à son deuxième mois de travail.

Dans tous les cas, il semble établi que Georges Sim gagnait sa vie de manière satisfaisante à la Gazette de Liége. Il pourra même réaliser certains des rêves qu'il caressait depuis longtemps: «Je suis devenu reporter et j'ai pu enfin m'acheter le vélo dont je rêvais depuis ma petite enfance. Certes, mes moyens restaient limités, je portais encore des vêtements qui paraissaient élégants sur les mannequins d'étalage mais qui se mettaient à rétrécir dès la première pluie, de sorte que mes pantalons étaient trop courts, mes épaules trop étroites»[1]. Et puisqu'il a «égaré» la montre de son père, il pourra s'en acheter même une autre: «Ma première montre, je ne l'ai possédée que lorsque je suis entré à la Gazette de Liége et que j'ai pu me l'acheter»[7].

Dans le roman *L'âne rouge*, Simenon rira de lui-même, en donnant au personnage Jean Cholet les traits tout crachés de Georges Sim: «Il devait de l'argent à tout le monde: à son confrère de l'Ouest-Éclair, au secrétaire de la rédaction, à Gillon. Il n'aurait pas pu dire comment il le dépensait. Ce n'était pas avec Lulu. C'était plutôt, à L'Âne Rouge, des tournées et des tournées que personne ne lui demandait d'offrir»[8]. Dans ce même roman, Jean Cholet trouve un bon filon pour encore et encore dépenser, ou, certains autres jours, tenter de rembourser ses dettes: il va taper son père à son boulot. Son père en vient même à lui poser lui-même la question:
«Tu as de l'argent?
– Pourquoi?
– Je ne sais pas. Il y a bien une semaine que je ne t'ai pas vu au bureau.
Jean détourna la tête, parce que son père avait un sourire indulgent qui l'humiliait. C'était vrai! Il était resté quelques jours sans avoir recours à sa bourse, mais il ne dépensait pas moins pour la cause. La fin du mois était arrivée. Les rédacteurs avaient été augmentés de cent francs et Jean avait gardé ce supplément sans en parler avec lui»[8].
De même, dans *La rue aux trois poussins,* il relate également ment une rencontre avec son père:
«Combien?
– Cent cinquante francs... Je te demande pardon... Je te promets...
Son père lui donne les cent cinquante francs.
– Surtout ne dis rien à ta mère.
– Merci, papa.
Ils sont entre hommes, pour la première fois»[9].

1. Dictée «Des traces de pas», 1975, p.80.
2. «Portrait Souvenir», 1963, p.47.
3. «On dit que j'ai soixante-quinze ans», 1980, pp. 70-73.
4. «Mémoires Intimes», 1981, pp.10-11.
5. Dictée «Quand j'étais vieux», 1970, pp.215-217.
6. «La danseuse du Gai Moulin», Presses Pocket, p.59.
7. Dictée «Tant que je suis vivant», 1978, p.45
8. «L'âne rouge», Presses Pocket, p.139 - p.64.
9.«La rue aux trois poussins», Presses de la Cité, p.26.

VII

LA PREMIÈRE ANNÉE DE JOURNALISME

Cette année 1919 sera pour Georges Sim l'année des commencements et des premiers apprentissages. L'année des essais et des erreurs. L'année des premiers pas, mais aussi l'année des gaffes et des mini-catastrophes. Non seulement il devra faire ses preuves, mais il ira partout où la Gazette de Liége aura besoin de lui. Novice en journalisme, il fera ses premières gammes. «On me donnait à faire, comme à tous les jeunes, le travail le plus ingrat, le compte rendu des conférences. On me donnait à faire aussi ce que les autres ne voulaient pas ou ne pouvaient pas faire. C'était la meilleure introduction à la vie d'un romancier puisqu'on touchait à tout»[1].

Sim chassera tout d'abord les "chiens écrasés": «Au début, mon rôle était extrêmement modeste. Je devais téléphoner deux fois par jour dans les commissariats de police de Liège pour m'assurer qu'il n'y avait pas eu de faits divers importants»[2].

Les quarante-sept premiers articles signés

Période d'immédiate après-guerre, l'année 1919 comportera d'innombrables cérémonies commémoratives. Le jeune reporter se rendra aux «pèlerinages du Fort de Loncin, aux visites de nobles étrangers à la Fabrique d'armes, aux cérémonies de l'Hôtel de Ville, aux congrès des anciens combattants, aux défilés en musique et aux conférences patriotiques et littéraires»[3].

Impressions

Mêlé à la foule, j'ai assisté à une fête patriotique.

Entouré d'étendards, tandis que l'écho des cuivres flottait encore dans l'air, un orateur discourait.

Des vivats et de frénétiques applaudissements saluaient chacune de ses phrases. Et cependant je restais absolument calme. Bien plus, je me surpris à analyser froidement chaque phrase, chaque période, où revenaient invariablement les mêmes mots sonores. Je m'ingéniais à découvrir les procédés oratoires. La foule écoutait religieusement, attendant une brillante finale pour laisser éclater son enthousiasme.

Une pensée me vint à l'esprit, et s'imposa tyranniquement à ma pensée. Est-ce vraiment dans ces résonnances et ces drapeaux agités que le peuple puise le patriotisme ?

Ou bien cette atmosphère fiévreuse est-elle seulement pour lui une occasion de donner libre cours à son exubérance. Je ne sais !

Ma raison se refuse cependant à admettre que telle phrase, tel geste, tel défilé stimule si profondément l'amour de la Patrie.

N'est-il pas, en effet, d'autres liens plus subtils, peut-être, mais à coup sûr plus profonds, qui nous lient à notre terre natale, nous la font aimer malgré tout, malgré nous même ?

Des discours sont-ils nécessaires pour qu'un enfant aime sa mère ? La comparaison est bien vieille, bien banale, mais elle me paraît juste. Les années qui passent ne laissent-elles pas un peu de nous mêmes dans tout ce qui nous entoure ?

J'aime mon pays, ma ville, que chaque année j'ai vue sous un autre aspect tandis que mon intelligence s'éveillait, dissipant le voile de naïve poésie qui flottait entre moi et le monde extérieur. J'aime la terre natale, parce que je sais qu'à telle place, il est sous les ormes un banc, qui tour à tour figurant une maison, un désert, un navire, un navire surtout, était le centre de mes ébats d'enfant espiègle.

Je sais qu'il est à tel coin dans la campagne, une source où, pieds nus, je restais des heures à goûter le frôlement froid de l'eau... Telle personne qui passe me rappelle des sensations d'autan. Tel effluve fugitif me fait rêver d'images lointaines. J'aime mon pays pour les heures de bonheur que j'y ai goûtées, pour les souvenirs qu'il éveille en moi chaque jour.

Je l'aime avec mes sensations, et je ne puis comprendre que des raisonnements, des mots, puissent uniquement exalter cet amour. Mais peut-être ne suis-je qu'un rêveur !

Georges SIM.

Extrait de la «Gazette de Liége» du 15 juillet 1919.

Sim écrira des comptes rendus de conférences de généraux, rédigera des panégyriques en l'honneur des soldats martyrs, fera écho à des publications de résistants, etc. À titre d'exemple : dans un article intitulé *L'Oeuvre de l'Oeuf aux malades*, publié le 9 mai 1919, Sim écrit ces lignes qui, aujourd'hui, font sourire : «L'activité de l'œuvre est largement démontrée par les chiffres qui d'ailleurs sont éloquents. Du 20 janvier 1916 au 18 janvier 1917, 119.840 œufs ont été distribués. La générosité des donateurs s'est maintenue fidèle en dépit de la hausse extraordinaire». Second exemple : Sim fait la critique d'un livret poétique qui paraîtra le 26 janvier 1919 : «En quelques pages vibrantes d'ardent patriotisme, M. Paul Sapart, retrace avec émotion les faits d'armes de Liège la Vaillante. C'est une véritable épopée lyrique. (…). En lisant ces vers qui glorifient les combats victorieux, les hauts faits d'armes de nos soldats, on se sent fier d'être liégeois».

Déjà, ce sacré gamin signe ses articles *G.S.,* ou *G. SIM,* ou simplement *SIM,* ou encore *Georges SIM.*

Les deux meilleurs papiers de cet ensemble d'articles sont sans conteste, d'une part, *Impressions,* paru le 15 juillet 1919 et, d'autre part, *Dans les Prisons boches,* édité le 13 mars 1919.

L'emploi du temps de Georges Sim

C'est à vélo ou à pied que Georges Sim se rend le matin à la Gazette. Il franchit la Meuse en empruntant le Pont des Arches et découvre la ville à son réveil : «C'est le moment où on lave la ville. Devant les cafés, on est en train de laver le trottoir, de balayer la sciure à l'intérieur, il y a une odeur de bière qui sort de tout cela que j'adorais. J'ai d'ailleurs retrouvé tout récemment à Liège cette atmosphère de la rue du Pont d'Avroy par exemple, c'est extraordinaire»[4].

Tout au long de sa vie, Simenon aura ce goût profond pour la ville au sortir de la nuit. C'est à Liège qu'il apprit à observer et à absorber ces petites scènes de la vie de tous les jours.

Chaque matin, durant quatre ans, le tout premier rendez-vous de Georges Sim n'est autre que le commissariat central de la police de Liège, dont le bureau se situait à l'arrière de l'Hôtel de Ville. Pour s'y rendre, Sim marche juste deux ou trois minutes, traversant la place du Maréchal Foch, puis longeant la place Saint-Lambert.

Il est temps de rejoindre notre jeune journaliste de la Gazette de Nantes, Jean Cholet, incarnant à merveille dans *L'âne rouge* le reporter Georges Sim: «Il y eut derrière Jean Cholet, un déclic d'horloge: onze heures moins le quart. Il partit et se dirigea vers le commissariat où il n'y avait aux rapports quotidiens qu'une rixe entre matelots scandinaves, deux procès-verbaux pour injure aux agents et un vol à l'étalage»[5]. Au commissariat, Sim rencontrait ses confrères. Il ne pouvait trop s'attarder, car «la chronique locale devait être donnée à la composition avant midi»[5]. Voici décrite l'ambiance de la salle de rédaction de la Gazette de Nantes peu avant midi. Simenon n'a même pas oublié de joindre aux côtés du petit Sim ses deux confrères d'alors: Gérard Debraz, le metteur en pages, et Henri Chapelle, le chroniqueur local.

«À la rédaction, Léglise mangeait du pain avec du veau froid. Mlle Berthe tapait les dernières dépêches du matin. Debras réclamait la chronique locale. Jean en fit toute une colonne en quelques minutes. L'encre coulait fluide du stylo. La plume glissait sur le papier. Cholet ajouta par plaisir: «Un beau mariage. C'est celui qui a été célébré ce matin entre…»[5].

Vers midi, quand Georges Sim n'a pas assez d'argent pour sortir le soir, il court vite au bureau de son père, rue Sohet. Et lui arrache un peu d'argent.

Dans l'après-midi, le journal achevé, les rédacteurs se détendent quelque peu, en se taquinant l'un l'autre. «Vers cinq heures, à la rédaction, quand le journal est fini et que, la rotative communiquant aux murs sa trépidation, on se retrouvait tous ensemble dans le bureau, Jean attaquait son confrère, lui lançait des plaisanteries qui faisaient rire aux éclats Léglise et la dactylo. Il s'excitait, avait parfois de véritables trouvailles, imitait à merveille la démarche de Gillon, sa façon de parler, de s'asseoir, d'écrire»[5]. Le personnage de Gillon de la Gazette de Nantes n'est autre que Désiré Drion, secrétaire général de la Gazette de Liège. Les rédacteurs l'appelaient familièrement "papa Drion"; il était le plus âgé de la rédaction. Il devait décéder le 4 mai 1921; la Gazette de Liège en fait part dans ses éditions du 7 mai 1921.

Bien sûr, ce garnement qu'était Sim aimait parfois sortir

sur la pointe des pieds de la rédaction. Il allait goûter, entre autres, les bières les plus variées. Il avait en effet fait connaissance avec un employé du service administratif du journal: «Vers les cinq heures de l'après-midi, lorsque je pouvais m'échapper des bureaux de la rédaction, il m'entraînait dans un petit café où quelques habitués jouaient aux cartes. C'était un garçon agréable, relativement peu intelligent mais, comme on dit, de bonne compagnie. Nous commandions, c'était son idée, trois petites bouteilles de bière anglaise, l'une de bière très légère, l'autre de couleur ambrée, le troisième de *Guiness*. Nous nous les partagions en les mélangeant et nous bavardions longuement sans sujet précis, pendant une heure environ. (...). Plus tard, ce mélange de trois bières, je l'ai bu dans le même café avec Tigy, ma fiancée»[6].

Le soir, Georges Sim se rendait pour le journal à des conférences, données au collège Saint-Servais, à l'université de Liège, aux Amitiés Françaises, ou encore allait écouter les Grandes conférences catholiques ou bien les Conférences du jeudi

Quand il aura rencontré Régine Renchon, qu'il surnommera "Tigy", ils sortiront ensemble. Ils iront notamment assister aux spectacles de cirque dans la loge réservée à la presse liégeoise. C'est à Liège aussi que Simenon a attrapé le virus du cirque. Il nous précisa par lettre en 1984: «Le cirque (en dur et non sous tente) ne travaillait qu'à l'automne et l'hiver. J'en étais le critique, mais je crois que je ne signais pas mes articles. J'ai gardé la passion du cirque toute ma vie». Il assistait aux spectacles «à chaque changement de programme».

D'autres soirs, Sim pouvait aussi se rendre à quelque spectacle du Théâtre Royal de Liège, situé à deux pas de la Gazette, ou du Pavillon de Flore, en Outremeuse.

Dans tous les cas, il rentrait souvent (fort) tard au domicile de ses parents. «Dès l'âge de quinze ans et demi, seize ans peut-être, j'ai pris l'habitude de rarement rentrer dîner sous prétexte d'obligations professionnelles, puisque je commençais mon métier de reporter. Mon père ne m'en voulait pas. Il se contentait de laisser, sur une table de la cuisine, un petit mot disant: Il y a du jambon dans le garde-manger. Bonne nuit. Père»[7]. Or, dans le roman *L'âne rouge*, que lit-on, si ce n'est ce dialogue, extrait en droite ligne de son adolescence. Sa mère lui demande:

«Tu sors?

– J'ai une conférence.

– Et toi, tu laisses faire?

Il n'en entendit pas davantage. Il était déjà dans le corridor, saisissant son manteau, son chapeau. La rue était déserte, le trottoir mouillé. Il avait l'air de fuir» [5]. Dans *La danseuse du Gai-Moulin,* nous retrouvons le reporter Jean Chabot, fils d'un employé d'assurances qui rentre, lui aussi, fort tard: «Rue de la Loi. Des maisons à un étage. Un seuil. Jean Chabot cherche sa clef, ouvre, tourne le commutateur électrique, marche vers la cuisine à porte vitrée où le feu n'est pas tout à fait éteint. (…). Il y a un papier sur la toile cirée blanche de la table et quelques mots au crayon: Tu trouveras une côtelette dans le buffet et un morceau de tarte dans l'armoire. Bonne nuit. Père» [8]. Voilà deux transpositions parfaites. À part le nom des personnages, ces faits n'ont rien de romanesque; ils forment, tout au contraire, un récit de vie.

1. «Magazine littéraire», 1975, pp.19-41.
2. Dictée «Un homme comme un autre», 1975, p.16.
3. «Les trois crimes de mes amis», Collection Folio, p.34.
4. «Victor Moremans reçoit Simenon», 1970.
5. «L'âne rouge», pp. 16-17, p.94 - pp.53-54, p.141.
6. Dictée «Vent du nord, vent du sud», 1976, p.71.
7. Dictée «De la cave au grenier», 1977, p.15.
8. «La danseuse du Gai-Moulin», Presses Pocket, p.16.

VIII

«HORS DU POULAILLER» SIGNÉ «MONSIEUR LE COQ»

Trois petits billets signés *SIM* paraissent dans les colonnes de la Gazette de Liége les 9, 10 et 13 avril 1919, aux titres accrocheurs: *En veston!, Betch't'i* et *Des affiches, s.v.p.!*. Ils préfigurent le billet quotidien *Hors du Poulailler* dont Sim allait être le signataire.

Soulignons tout d'abord qu'il eut exactement la même idée que son modèle d'alors, Rouletabille, le héros des romans de Gaston Leroux. Ce personnage avait en effet proposé une petite correspondance judiciaire qu'on lui faisait signer *Business* à son journal *L'Époque*. À l'instar de ce dernier, Sim se porta volontaire auprès de son directeur Joseph Demarteau III pour rédiger un billet quotidien. Si ce billet n'était pas judiciaire, il traitera parfois, comme nous le verrons, de sujets judiciaires: la police, les tribunaux, les criminels et l'insécurité des rues n'en seront pas absents.

Pourquoi le titre *Hors du Poulailler?* «Ce titre m'a été imposé par le directeur, expliquera Simenon, parce que j'avais le droit d'y exposer n'importe quelles idées, même celles qui s'harmonisaient le moins avec le journal le plus conformiste et le plus catholique de Liège»[1]. Il formulera la même explication, mais avec des mots plus savoureux, quand il reverra son ami liégeois, Victor Moremans, critique littéraire à la Gazette de Liége: «J'ai compris que c'était un peu pour désolidariser la Direction de ce que je pouvais écrire. Comme cela sentait quelquefois un peu le fagot, Hors du Poulailler, cela voulait dire... mon Dieu... cela voulait dire

55

•En Ville

Hors du Poulailler

Si vous avez de l'encens à vendre, faites vous hâter des offres au nouvel hebdomadaire, commercial et financier, « La Semaine » ; ce journal en consomme énormément pour alimenter le brûle-parfum, s, qu'il vient d'allumer en l'honneur de la direction du Royal.

Loin de nous la pensée de supposer que M. Massin commandite ce nouvel organe, il se contente d'être le premier et le meilleur « abonné... » à la « Semaine ».

Quelle jeunille généreusement inspirée ! Quelle intelligente amie ! Comme elle sait avoir raison des modesties les plus intransigeantes. Avec quelle délicatesse de touche elle sait discrètement rendre perceptibles les petites confidences qu'elle glane et saisit à propos.

La « critique » a criblé notre éminent directeur de ses traits malins. La « Semaine » retire le fer de la plaie, elle étend sur celle-ci le baume salutaire de ses compliments les plus précieux.

Quel magnifique journal !...

M. Massin tient enfin sa revanche ! Le voilà donc, ce ténor, qui manquait à sa troupe depuis deux mois. Comme il chante bien. Écoutez-le :

« Félicitons, dit-il, M. Massin des programmes alléchants qu'il se propose de nous offrir... »

Quel bel avenir il nous dépeint !

« On nous réserve aussi le plaisir d'applaudir des œuvres comme « Louise », « Grisélidis », « Thérèse », « Messaline », « Aïda » et d'assister à la création de « Marouf, Savetier du Caire » pour laquelle aucun sacrifice n'arrêtera la Direction, qui veut encadrer l'œuvre d'une interprétation impeccable de décors et costumes absolument inédits. »

Quelles riantes... perspectives ! Quels superbes espoirs ! Voilà des engagements solennels, qu'il ne reste plus qu'à tenir.

« La Semaine » n'aperçoit-elle pas le Royal avec les yeux de la jeunesse ? Tandis que maint spectateur avec son expérience de deux mois de saison a peut-être le droit de tempérer son enthousiasme. Le Royal compte plus d'un abonné... à la déception ! Si l'on doit fonder l'avenir en raison du passé...

Pourtant évitons tout parti pris : le directeur du Roi fait des affaires, il présente de la surface, faisons donc crédit à ses bonnes intentions.

La « Semaine » dévoile habilement les plans directoriaux ; nous pousserons la méchanceté jusqu'à souhaiter qu'ils ne restent pas... en plans, et que bientôt le rideau du Royal se lève pour l'exécution parfaite des œuvres promises.

« Un tiens » ne vaut-il pas mieux que « deux, tu l'auras » !

Monsieur le COQ.

LE TEMPS

BAROMÈTRE

Le 9 décembre à 2 h., 770°. En hausse.

THERMOMÈTRE

Température minima 3°.
Température maxima 7°.

Les Cafés PRIOR sont toujours les plus recherchés

ÉTAT-CIVIL du 8 décembre. — Décès : 8 hommes, 4 femmes, 3 enfants - Naissances 10 garçons, 7 filles.

Hommes : Paul Clavier, s. p., 84 ans, rue des Wallons, s. p., veuf Galopin ; Antoine Reinhardt, s. p., 69 ans, rue Navetie, 30, veuf Renier ;

Femmes : Louise Doyen, s. p., à Remicourt, épse Poncelet, 58 ans ; Julienne Evrard, couturière, 48 ans, à Bressoux, célibataire ; Anne Halla, s. p., 76 ans, rue Missisipi, 5, vve Gielen ; Marie Humblet, s. p., 77 ans, rue Ste-Ursule, 1, épse Leclercq.

RÉCITAL DE Mme GEORGETTE LEBLANC A LIÈGE. — On a annoncé que jeudi 18, au théâtre du Gymnase, pour une matinée de gala littéraire, Mme Georgette Leblanc viendrait nous parler de Maeterlinck, de Verhaeren, de van Lerberghe. Ce n'est pas peu dire. Cantatrice et tragédienne, artiste dans toute l'acception du mot, Mme Leblanc ne saurait se contenter de parler. Ce qu'elle vient produire n'est pas une conférence. Mme Georgette Leblanc interprètera surtout ses poètes préférés.

AVIS AUX PARENTS. — Nous recommandons vivement les cours du soir pour apprentics, organisés par l'Union Professionnelle de l'Aiguille, 37, rue de l'Université.

Il complètent l'enseignement donné dans les ateliers.

Les inscriptions se prennent tous les jours de 10 à 1 heure et de 6 à 8 h., sauf le samedi au bureau, 37, rue de l'Université.

A partir de lundi 15 décembre, l'Union Professionnelle de l'Aiguille organise un cours de lingerie, de 7 à 9 heures. Prière de se faire inscrire de 10 à 1 heure.

Un cours de modes se donnera jeudi prochain de 7 à 9 heures.

LA MANUFACTURE des CIGARETTES
TROIS HUIT

informe sa clientèle qu'elle a repris sa fabrication. Ayant terminé ses installations qui ont été conçues d'après les perfectionnements les plus modernes, elle peut garantir une fourniture irréprochable. La qualité de la cigarette TROIS HUIT donnera pleine satisfaction aux amateurs de bon tabac qui lui accorderont certainement leurs préférences. L'essayer c'est l'adopter.

ASSOCIATION DU COMMERCE ET DE L'INDUSTRIE DE LIÈGE. — L'Association du Commerce et de l'Industrie de l'arrondissement de Liège se réunira en séance de Comité jeudi prochain 11 courant, à 8 h., précises du soir, en son local habituel, Hôtel Central, place du Théâtre, 2.

LE 5e LANCIERS A LIÈGE. — C'est ce mercredi, à 10 h. du matin, que le 5e régiment de lanciers arrivera en notre ville. Les cavaliers quitteront la borne 5.360 de la route de Liège à Tongres pour se rendre à la Caserne des Écoliers en empruntant les rues de Campine, de l'Académie, de Bruxelles, les places Notger et St-Lambert, les rues Léopold, St-Pholien et le boulevard de la Constitution.

VOL DE 1,200 FRANCS. — Un inconnu a dérobé une somme de 1200 fr. au préjudice de la Vve K..., rue du Potay. Une enquête est ouverte.

RENÉ GAELL A LIÈGE. — Dimanche 21 décembre 1919, à 4 1/2 h. précises, en la salle académique du Collège Saint-Servais, rue Saint-Gilles, grande séance littéraire et artistique, organisée au profit de la Construction de l'Église et du œuvres de Notre-Dame de Lourdes, à Cointe, sous la présidence d'honneur de S. G. Mgr Rutten, Évêque de Liège, et de S. G. Mgr Laminne, Évêque-auxiliaire, et sous le patronage du Comité du Pèlerinage Belge de Septembre à Notre-Dame de Lourdes.

Conférence par M. René Gaell, rédacteur en chef de « La Croix de Lourdes » : « Le Triomphe de Lourdes proclamé par l'Histoire et par la Science ».

Films cinématographiques : Les Apparitions et les Pèlerinages de Lourdes.

Orchestre symphonique et Quatuor vocal, avec le concours d'artistes distingués.

Cartes d'entrée, à 10, 5, 3, 2 et 1 fr., en vente aux librairies Cormaux et Spès Zélis, rue Vinâve d'Ile.

Une nouvelle Œuvre américaine

Depuis la déclaration de guerre, l'amitié et la sympathie de nos grands amis américains ne s'est jamais démentie.

Lorsque les Allemands nous eurent enlevé nos vivres, les Américains nous sauvèrent de la famine. Et si nous jass no souffrirent guère des atteintes du cafard, c'est toujours aux Américains que nous le devons.

Leurs œuvres admirables firent paraître l'exil moins dur et les rigueurs du cyprès plus doux.

L'une d'elles, le N. C. W. C. n'a pas voulu cesser son activité. Cette puissante institution décida de créer dans les grandes villes de Belgique des œuvres récréatives pour ouvriers et apprentices. Dans ces maisons hospitalières, toutes les jeunes filles qui sont astreintes à gagner leur vie, trouvent à peu de frais, avec le ré...

Halles Wéry

Cours du 9 décembre 1919

Fruits. — Raisin noir extra de 2.50 à 4.00, ordinaire de 1.30 à 2.00, muscat 2.50 à 4.00, blanc 1.50 à 2.50, noix 3.50, marrons 1.00, pommes de 0.20 à 0.50, poires de 0.25 à 0.80 le k., ananas 7.50 à 12.00, bananes 0.15, oranges 0.15, citrons 0.15 la pièce.

Légumes. — Chicorée de Bruxelles 1.50 à 1.60 le kilog par cageot de 10 k., salsifis 0.40 à 0.80 la botte.

Volailles. — Poulets de Bruxelles de 9.00 à 18.00, d'Aerschot 7.50 à 12.00, de grain 3.50 à 7.50, poules 7.50 à 15.00, canards 7.50 à 15.00, oies de 25.00 à 50.00, pigeons jeunes 1.00 à 5.00 la pièce, lapins domestiques 5.50 à 6.00 le k.

Gibiers. — Bécasses 10.00 à 12.00, bécassines 3.00 à 4.00, ramiers 3.00 à 4.00, canards sauvages 7.00 à 9.00, lapins de garenne 5.50 à 7.00 la pièce, sanglier de 4.00 à 9.00 le kilo suivant le morceau.

Poissons. — Cabillauds 3.00 à 3.50, raies 2.00 à 2.50, églefins de 2.00 à 2.50, soles 9.00 turbots 7.00, elbots 6.50, rougets 2.50 à 5.00, maquereaux 2.50 à 3.00, limandes 2.50 à 3.00, plies 2.00, merlans 1.50, dorades 1.50, brochets 5.50, friture 2.00 le kilog.

Huître de Zélande 6.00, 8.00, 10.00, 11.00, 16.00 et 18 francs le 100.

Beurre salé, 11.50 le kilog.

Halles América

Grands arrivages de poisson cette semaine : cabillaud 2.50 à 3.50, raie 2.00 à 2.50, rivets 2.00 à 3.00, merlans 1.50, dorades 2.50, rives 2.00, limandes 2.00 à 3.00, maquereaux 2.50, barbues 4.50 à 5.00, turbots 6.00 à 8.00, soles 6.00 à 8.50, friture 1.50 à 2.00, crevettes 2.50 le k., hareng de Hollande 0.25 pièce, 3.00 le tonnelet de 12, huîtres de Zélande extra fraîches 6.00, 12.00, 18.00 et 22 francs le cent.

Sangliers 5.00 à 9.00 le k. selon le morceau, lapin de garenne 5.00 à 6.50 pièce, ramier 3.00 à 3.25 pièce, bécasses 8.00 à 12.00, bécassine 3.00 à 4.00.

Poulets de Bruxelles 12.00 à 16.00, d'Aerschot 9.00 à 12.00, de grain 5.00 à 7.00, poules 9.00 à 11.00, coq 8.00 à 9.00, caneton 10.00 à 12.00, lapin domestique 6.00 à 6.50 le k.

Chicorée de Bruxelles 1.00 à 1.60 le k. selon qualité, choux 0.20 pièce, thym 0.50 la botte, citron 0.15, pommes de table calville 2.00 le k., ordinaire de 0.15 à 0.35 le k., poires fines 0.50 à 1.00 le k., raisin extra 2.50 à 3.00 le k., dattes 1.50 à 1 fr., en c isse 5 francs le kilo, marron 1.20 le k., noix 4.00 le k., 2 francs le cent.

Grands arrivages de viande de toute première qualité : bœuf depuis 4.50 le k., mouton depuis 5.50, langue fraîche 6.00, foie 5.50 le k., fumée 10.00 le kilog.

En Province

OUGRÉE. — ARRESTATION DE DEUX BOCHES. — Hier soir vers 10 heures, deux prisonniers boches ont été arrêtés en face du Cercle ouvrier, par MM. Maréchal, Rehanne Pierre et Istace. Évadés des bains, le 27 novembre du camp de Laon, ils se dirigeaient vers Maestricht. Ils vont être de nouveau dirigés vers leur lieu d'internement.

VERVIERS. — INCENDIE DANS UN LAVOIR. — Ce lundi matin, vers 4 heures, une incendie s'est déclaré au 3e étage du lavoir et carbonisage de laine de la firme J. Gayo et Cie, rue de Limbourg. Grâce à l'énergique intervention des pompiers le feu a été localisé. Seuls la toiture et le plancher du 3e étage sont brûlés, mais une assez grande quantité de laine est abîmée par l'eau.

Le sinistre est dû à un cas de combustion spontanée ; il y a assurance.

UN CRIME A THEUX

Un Jeune Homme tué d'un Coup de Revolver

De notre correspondant de Verviers, le 8 :

Un drame affreux a mis en émoi, la paisible ville de Theux.

Vers 10 heures du soir, un individu, nommé Fernand Jamar, âgé de 19 ans, qui a une réputation de batailleur invétéré, était posté sur le pont de Theux. Il cherchait ...

---

qu'ils s'en lavaient les mains. Hors du Poulailler, j'étais hors des normes du journal. Et voilà»[2]. En outre, il confia par ailleurs que son patron avait dû sentir qu'il ne ferait jamais partie d'un groupe. En somme, il devait rester toute sa vie hors du poulailler. Simenon précisa encore: «M. Demarteau n'y croyait pas trop. En outre je n'étais pas loin d'être à la rédaction une sorte de mécréant. (...). Toujours est-il que j'obtins l'autorisation d'écrire le billet quotidien»[3].

Autre question: pourquoi la signature *Monsieur le Coq?* Si elle n'est sans doute pas une référence explicite à l'inspecteur Monsieur Lecoq, héros des romans d'Émile Gaboriau, la coïncidence est cependant heureuse. En 1928, ce Monsieur le Coq de la Gazette de Liége n'allait-il pas créer de toutes pièces le commissaire Maigret, instituant un *nouveau* genre de roman policier populaire qui s'avérera fort différent de celui du maître Émile Gaboriau.

Voici une interpellation, extraite du roman *L'âne rouge,* telle qu'a dû l'entendre maintes fois Georges Sim à la Gazette de Liége: «Il était dix heures. À onze heures seulement, il irait au commissariat de police s'enquérir des faits divers. Debras, le metteur en pages, lui demanda au travers du guichet:
– Votre «Potinière»?
Cholet écrivait chaque jour un billet qui commentait les événements nantais et qu'il avait baptisé ainsi»[4].

C'est le 30 novembre 1919 que paraît le tout premier Hors du Poulailler. Monsieur le Coq y parle du désarroi des voitures ministérielles durant un remaniement gouvernemental.

Un billet qui mue au fil des ans...

Monsieur le Coq pondra du 30 novembre 1919 au 15 décembre 1922 pas moins de huit cents billets quotidiens. La totalité de tous les autres articles qu'il écrivit à la Gazette tourne autour de 1.500 papiers. Mais où est placé ce billet dans le journal? Ce billet occupe en fait un petit coin de la chronique locale. On le trouve en haut à gauche de la troisième ou de la cinquième page du quotidien. Pour le lire, il fallait donc attirer vers soi le creux de la page. Sans conteste, il aurait été mieux mis en vedette dans le coin supérieur droit. Car, de la

Hors du Poulailler

Monsieur le COQ.

Hors du Poulailler

Georges SIM.

Causons...

Georges SIM.

Monsieur le COQ.

Monsieur LE COQ.

MONSIEUR LE COQ.

MONSIEUR le COQ.

Monsieur LE COCQ.

P. C. C. Monsieur LE COQ.

—❊— (pas de signature).

Monsieur le Coq.

Monsieur Le COQ.

M. LE COQ.

Monsieur Le Coq.

Monsieur le COCQ.

Citoyen le COQ.

sorte, en tournant les pages, le regard du lecteur serait «tombé dessus» même sans le vouloir.

Mais au fait, que contient cette page locale, outre le billet Hors du Poulailler? Le menu ordinaire proposé à la voracité du lecteur est le suivant: faits divers sous le titre *En Province,* une petite gazette contenant des brèves du monde entier (!), le compte rendu de concerts-spectacles, une chronique théâtrale signée *D'Artagnan* et, en sus, des avis mortuaires. Toute la page est émaillée de petits encarts publicitaires, du style Bébé Cadum, Poupées nues et habillées, Fourrures Gratz, Charcuterie Vidua Frères et les Cigarettes Johnson.

Georges Sim s'écrira lui-même, par la voix de Monsieur le Coq le 2 septembre 1921: «Pensez-vous que quelques lignes perdues en un coin du journal, entre une annonce pour la beauté de la peau et un fait divers ait quelqu'influence?».

Une constatation s'impose: d'année en année, Monsieur le Coq caquette de moins en moins. Alors que pour la seule année 1920, il a pondu 314 billets, les deux années suivantes se révèlent moins bonnes: 241 Poulaillers en 1921 et, en 1922, seulement 215.

Ce n'est pas un hasard s'il n'écrit que 7 billets au cours du mois de décembre 1921. En effet, son père, Désiré Simenon, vient de mourir le 28 novembre précédent. Et, par-dessus le marché, trois jours après le décès de ce dernier, Georges Sim doit partir pour Aix-la-Chapelle. Il y vivra tout le mois de décembre avant de revenir à Liège achever son service militaire. Il est surprenant que, malgré ces deux événements, l'un dramatique, l'autre matériellement très contraignant, Monsieur le Coq ait encore trouvé le temps et l'énergie pour rédiger sept billets d'humour.

Au cours des 37 mois qui allaient suivre, le billet Hors du Poulailler changera à la fois d'intitulé et de signature. Peu à peu, Georges Sim prend conscience de l'ambiguïté d'un tel titre et d'une telle signature. Il tient alors à se défaire de ce qui n'était pas sien: «Pour bien marquer que mon coin, dans la Gazette, était à part, mon directeur m'avait proposé de l'intituler Hors du Poulailler et de le signer Monsieur le Coq. J'avoue qu'au début je ne comprenais ni le titre ni la signature que j'ai changée d'ailleurs plus tard en celle de Georges Sim, parce qu'un de mes confrères me laissait entendre que le Coq était un pseudonyme collectif de la rédaction»[5].

C'est pourquoi, Georges Sim veut et va changer de peau, sortir de l'anonymat et marquer de sa griffe les menus propos qu'il rapporte avec verve et esprit.

Trois périodes du billet quotidien vont se succéder, au terme desquelles Sim parvient à se défaire du masque de Monsieur le Coq pour enfin apparaître sous sa véritable identité.

À l'occasion de la seconde retouche, Georges Sim prendra la peine d'expliquer ce changement à ses fidèles lecteurs pour ne pas trop les effaroucher.

Treize façons d'écrire « Monsieur le Coq »

Georges Sim utilisera bien des « grâces typographiques » différentes pour marquer le terme final de ses commérages. Nous en avons relevé treize exactement qui se succèdent du 30 novembre 1919 au 8 avril 1921, date du dernier billet signé Monsieur le Coq.

De plus, nous avons relevé deux anomalies typographiques au cours de la période partant du 6 mai et courant jusqu'au 15 décembre 1922. Durant cette période, le billet s'intitule *Causons...* et est signé *Georges SIM*.

Les chroniqueurs des autres journaux liégeois

À *La Meuse,* plusieurs rédacteurs rédigent et signent le billet quotidien qui s'intitule *Tôt Tûsant,* ce qui signifie en dialecte wallon en pensant, en méditant. Il y a d'abord *G.R.* ou Georges REM, l'ami de Georges SIM. Sans parler de *Vinicius,* c'est-à-dire Paul Deblauwe. Et il faut aussi citer Joseph Vriendts, le poète wallon, le bibliothécaire qui était le complice de Sim quand il était enfant. Il y a encore un certain Guy d'Arlett, et enfin *Allaric II* ou *Allariz II,* dont nous n'avons pas découvert l'identité.

Le billet *Tôt Tûsant* n'avait pas – au contraire du *Hors du Poulailler* de Sim – d'emplacement fixe. Il voyageait à l'intérieur de la page deux, selon l'encombrement rédactionnel du jour. Les signatures se succédaient sans ordre établi.

Dans son roman *Les trois crimes de mes amis,* Simenon évoque la singulière personnalité de son confrère Paul

Deblauwe. Ce dernier l'avait poussé à boire beaucoup plus que de raison lors du premier banquet auquel Sim assistait en tant que journaliste.

«Deblauwe, eh oui! Je le connaissais à peine. Il était plus âgé que moi, trente ans au moins, et il portait des pardessus cintrés qui m'éblouissaient, jonglait en marchant avec un jonc à pomme d'or. Un beau garçon, aux traits fins, aux moustaches retroussées, aux gestes un tantinet précieux. Non seulement il était mon aîné, mais il avait fait du journalisme à Paris et, à Liège, il écrivait un billet quotidien signé Vinicius»[6].

Simenon se souviendra aussi de son ami Georges Rémy et de ses chroniques éblouissantes: «Lorsque j'étais encore jeune reporter à la «Gazette de Liége», j'avais un confrère que je rencontrais souvent plusieurs fois par jour car nous nous retrouvions, avec ceux d'autres journaux, chaque matin à onze heures dans le bureau du commissaire en chef de la police où on nous lisait le rapport de la nuit, ensuite, souvent, dans les différents commissariats et, enfin, le soir, aux conférences dont nous devions rendre compte. Cet ami-là avait de six à huit ans de plus que moi. Et lui, il avait passé son bac latin-grec et décroché ensuite à l'université une licence en philosophie. Nous écrivions tous les deux un billet quotidien. Le sien était sans contredit mieux écrit que le mien, nourri de subtilités de langage et d'esprit, truffé enfin de citations grecques ou latines et d'allusions à des personnages du passé que je ne connaissais pas et dont je mettais longtemps à faire peu à peu la découverte»[7].

Trois billets au titre différent se succédaient dans *L'Express* au fil des jours, signés par différents rédacteurs. C'est *Madame Lagasse* qui signait dans l'édition de dimanche et lundi le billet *Bèrdi-Bèrdache*. Une expression wallonne qui signifie pêle-mêle, en tout sens. Les mardi, mercredi, vendredi et samedi, c'était au tour de *Bobby* à signer un billet intitulé *Faits menus - Menus propos*. Et enfin, le jeudi, *Georges Ista* signait un billet qu'il coiffait de l'expression wallonne *Hâre et Hote,* ce qui signifie ici et là. Tous ces billets étaient placés, suivant les éditions, dans un coin ou l'autre de la une de L'Express. De son côté, *Le Journal de Liège* publiait en troisième page, au cœur de la rubrique locale, une *Note du jour* qui n'était pas signée.

Hors du Poulailler

Ce matin, comme je déambulais le long de la Meuse, en quête du « Poulailler » quotidien, je rencontrai quatre confrères, errant comme moi, et comme moi mâchonnant les phrases que distilleront les rotatives.

Notre hellénique Thebé, l'œil gris noyé dans la grisaille du matin, ciselait d'onduleuses phrases dont les indiscrets zéphirs m'apportèrent les échos.

« Dois-je évoquer ô onduleuse Meuse, l'hydatoscopie, la lécanomanie ou la pégomanie, pour arracher son secret au cerasme aiguayant nos cités mosanes ? Dois-je laisser errer mon imagination dans la brume diaphane pour percevoir la voix berceuse des ephridianes enchanteresses ou des captivantes limniades, s'ébattant en des saturnales de rêve ?... »

» Mais voilà qu'un vieux remouleur, la joue gonflée d'une chique juteuse dont il projette parfois l'essence en crachats savants brinqueballe sur les quais, son invraisemblable appareil. Et dans le brouillard les couteaux grincent, crissent, sifflent en râclant la pierre rugueuse. C'est un bon vieux type de chez nous, une pittoresque silhouette que croise en souriant le trottin au minois chiffonné et aux jambes mal assurées sur les talons trop hauts. »

C'est G. R. qui passe, tot tûsant, et qui illustre sa prose d'onomatopées tintamarresques. « Mais la brume est diaphane, soupire, la bouche en cœur, le délicat Guy d'Arlett, et les flots sont rêveurs. Mon regard suit les vagues et mon âme est rêveuse. Une douce mélodie chante en moi son doux chant, le chant des doux matins, de la mélancolie. »

» Tout cela n'empêche pas, interrompt Bobby, le type de l'oncle d'Amérique, de disparaître de plus en plus. Les législateurs et les redoutables agents du fisc ont tué, sans crier gare, ce brave personnage toujours à sa place, toujours sympathique dans le vaudeville comme dans le drame dans la tragédie comme dans la farce.

Il a réjoui les brumes d'antan et les asticots à deux sous le mille ! R. I. P. ! » Ainsi cette note du jour est remplie de menus propos cueillis, tot tûsant, au bord de la Meuse.

Monsieur le COQ.

Extrait de la «Gazette de Liége» du 27 novembre 1920.

S'il est un Hors du Poulailler qui illustre bien ce chapitre, c'est celui du 27 novembre 1920 dans lequel Monsieur le Coq, se promenant le long de la Meuse, rencontre «par hasard» trois de ses confrères: Thébé, c'est-à-dire G.R. (Georges Rémy); Guy d'Arlett et l'llustre Bobby. Faut-il le dire? Sim se moque allégrement de ses trois confrères, les pastichant avec malice. Il ne parle pas dans ce billet de son confrère de La Wallonie socialiste, Courfayrac qui signait, lui aussi, un billet quotidien nommé *Au fil des jours,* publié le plus souvent à la une du journal. Nous n'avons pas découvert l'identité de ce mystérieux Courfayrac.

Les sources d'inspiration de Monsieur le Coq

Comme nous le certifie Monsieur le Coq dans un de ses billets, les grandes dates de l'année peuvent constituer autant de prétextes à de menus potins: «Les pauvres diables condamnés aux travaux forcés de billets quotidiens ont fort heureusement un petit lot de sujets fourni par le seul calendrier. C'est ainsi qu'invariablement, ils écrivent cinquante lignes invariables sur le Nouvel-An, les Mimosas, l'approche du printemps, les violettes, Pâques, l'été, l'automne, les feuilles mortes, la Toussaint, etc... Avec un réel entrain, ils viennent de s'emparer du carnaval et, en vingt-quatre heures, ce malheureux prince du carême a été tourné et retourné sous toutes ses faces»[8].

Mais il existe aussi ce que l'on pourrait appeler les «sujets de tout repos» qui viennent au secours des chroniqueurs en période de vaches maigres: «Dans le temps, quand aucune grosse affaire n'entretenait les conversations et ne fournissait une providentielle copie aux chroniqueurs, on recourait à quelque bonne histoire, juste assez passionnante pour permettre d'attendre un nouveau scandale, une crise ministérielle, ou une guerre lointaine. Le serpent de mer, comme le nouveau monstre du Congo, ou le crâne préhistorique de l'Inde, étaient de ces sujets de tout repos. Après, il a fallu mieux. Voilà un an encore, c'était la vie chère, cette excellente vie chère, toujours prête à secourir les causeurs en mal d'idées, qui remplissait les délicates fonctions de bouche-trou. Mais la pôvre en est morte. On n'en parle même plus... Et bientôt, elle a été remplacée. Comment d'ailleurs résister à l'affaire Landru, à cette histoire idéale, réalisant le potin le plus perfectionné, le plus extensible, le plus passionnant?»[9]. Viendront ensuite les affaires dont s'occupera le commissaire Maigret. Affaires, elles aussi, développées à souhait.

Pareil au romancier Simenon, Georges Sim trouve bien des idées d'articles et de récits haletants au cours des marches qu'il pratique par les rues de Liège. Pour le reporter de la Gazette, la marche constitue un temps de réflexion, un espace privilégié où peuvent s'épanouir rêveries et pensées: «Partout où j'ai vécu, j'ai marché, affirmera l'écrivain. C'est en marchant dans la foule que je découvrais mes personnages. Et comme j'écrivais chaque jour, je marchais tous les jours aussi. Lorsque j'étais à la Gazette de Liége, je marchais aussi. Il n'y a pas un quartier de Liège que je ne connaisse»[10]. Incroyable: le jeune Sim nous exprimera exactement la même idée, avec d'autres mots, dans un Poulailler: «On rencontre parfois, en musant par les rues, de ces petites choses, détails insignifiants, menus faits de trottoir qui sont des sources inépuisables de rêveries et de méditations psychologiques»[11]. Tout en marchant, Georges Sim passe à travers les marchés publics de Liège. Il les fréquente avec plaisir, avec une joie d'enfant.

À ce propos, il y a un parallèle saisissant à établir entre les lignes qu'il écrivit à propos des marchés de Liège dans le journal wallon *Noss'Pèron* – une collaboration journalistique sur laquelle nous reviendrons – et les lignes qu'il rédigea sur le même thème dans son roman *Je me souviens*.

Dans *Noss'Pèron,* Sim écrit «Je passerai toujours avec joie au quai de la Goffe, à l'heure où le marché aux fruits mêle ses taches de couleurs vives, le grouillement de la foule bigarrée à la grisaille des vieilles maisons environnantes; alors, je souris à de juvéniles évocations, d'enfantines impressions du temps où, accroché au filet de ma mère, je me glissais péniblement entre les grands paniers, pleins à craquer; et je respire à pleins poumons les relents de poussière et de fruits, de jupons crasseux et de tignasses mal peignées, et je savoure à nouveau les effluves qui, autrefois, ont frappé ma jeune sensibilité»[12].

Dans *Je me souviens,* Simenon dépeint la même facette de Liège, avec une sensibilité exprimée de manière semblable.

«Partout, aussi loin qu'on peut voir, c'est le marché qui s'étale, marché aux légumes à gauche, marché aux fruits à droite, des milliers de paniers d'osier qui dessinent de vraies rues, des impasses, des carrefours, des centaines de commères courtes sur jambes qui ont des poches pleines de monnaie dans leurs trois épaisseurs de jupons (...). Ma mère se faufile et je me raccroche à sa jupe car, dans la cohue, on risque de se perdre. (...). Le long des quais, il y a encore de vieilles maisons aux hauts toits pointus, aux façades couvertes d'ardoises, aux fenêtres à petits carreaux verdâtres».

Le reporter Georges Sim flâne et erre. Il rumine, et espère même être témoin de grands événements: «Je me promenais, hier soir, tout seul, par les rues désertes. Je rêvais d'horribles accidents, d'hécatombes, de séditions, de catastrophes qui alimenteraient bien à propos ma chronique quotidienne» [13].

Notre journaliste trouve également des idées de billet en lisant les journaux français, véritable mine d'échos divertissants: «Je découvris le nombre de journaux que nous recevions des autres villes de Belgique, de Paris, quelques-uns de Hollande, et même d'Angleterre. J'avais envie de tout lire, de tout dévorer. Rien que pour Paris, il y avait à cette époque quarante-cinq quotidiens, car chaque homme politique d'une certaine importance possédait le sien. La plupart de ces quotidiens publiaient en première page un billet quotidien. Le plus célèbre était à cette époque celui de Clément Vautel. Il exprimait chaque matin les idées du Français moyen sur les événements récents, qu'ils soient politiques, littéraires, etc. Bien des gens n'achetaient *Le Journal,* devenu la feuille la plus populaire de France, que pour y lire *leur* Clément Vautel. Ce succès éclatant ne manquait pas de m'impressionner, d'autant plus que Clément Vautel était liégeois comme moi et que je passais chaque jour devant la boutique de son frère qui était coiffeur. À cause de Clément Vautel, des dizaines de jeunes Liégeois se précipitèrent à Paris dans l'espoir de décrocher aussi un billet quotidien, la gloire et la fortune. Cela a été presque mon cas, mais je me contentai d'écrire mon billet quotidien à la Gazette de Liége et, au lieu d'abonder dans le sens du grand public, je le prenais à rebrousse-poil, ce qui n'enchantait pas toujours mon rédacteur en chef» [14].

Pour preuve des lectures attentives que Sim pratique à travers la presse française; dans un billet, il écrit: «Aucun

Hors du Poulailler

Le malheureux rond-de-cuir, impitoyablement claquemuré par une bureaucratie consciente, abrutissante et organisée, possède un répertoire assez restreint de distractions et d'amusements.

Cependant, il est un petit plaisir, une modeste joie à la portée du moindre surnuméraire. C'est l'acheminement matinal vers son bureau. En effet, dans la grisaille comme dans la fraîche clarté d'une aurore printanière, chaque matin, à la même heure, au même coin de rue, il rencontre les mêmes personnes qui finissent par lui être sympathiques, à force de faire partie du paysage. Devant la même maison, il y a la même poubelle, qui s'orne tantôt d'un bouquet fané, tantôt de boîtes à sardines éventrées. Au même magasin, la même demoiselle arrange l'étalage ou bien tourne la manivelle du volet mécanique. La même capote d'agent de police est plantée au niveau du même carrefour... Les affiches de cinéma sourient à la même place, en exhibant Douglas Fourbauks ou Mary Pickfort à moins que ce ne soit Charlot !

Tout ce décor finit par être aussi familier que le bureau poisseux où le crâne de Monsieur Lebureau s'effeuille depuis quelque vingt ans. Il est chez lui, dans cette rue où brait invariablement la même marchande des quatre-saisons et le Pont où il a traîné tant de fois ses souliers ressemelés plus souvent encore, devient un peu sa chose.

Or, Monsieur Lebureau est triste, parce qu'on s'est permis de changer ce « chez lui ». Sur les pignons qui avaient de si beaux tons roses on a collé des nègres ! Que dis-je, collé ! On a peint, gravé presque, d'horribles moricauds, à cravate blanche et à costume couleur saumon gâté. Et tous ces nègres sourient affreusement, ricanant avec un cynisme sauvage, heureux, dirait-on, d'horrefriquer ce pauvre Monsieur Lebureau qui se crispe.

Le pis, c'est que ces sacrés Congolais fascinent le regard, éclipsent le reste du paysage, de tout l'étage de leur anatomie de quatre mètres de long ! C'est terrible, n'est-il pas vrai ! Les affiches de cinéma, la demoiselle de magasin, la poubelle pittoresque la marchande d'oranges tout cela est mis dans l'ombre par ce sauvage impitoyable !

La petite ballade matinale perd tout son charme. Monsieur Lebureau s'aigrit, amasse de la bile, la déverse sur les administrés, la distille dans ses grands livres, et pas une loi n'empêchera les publicistes de coller ainsi des nègres antipathiques à tous les coins de rues !

Monsieur le COQ.

—✳—

Extrait de la «Gazette de Liége» du 8 janvier 1921.

de mes confrères n'a manquer de consacrer qui un billet, qui une longue chronique à *l'incident Carpentier.* Chacun, depuis les illustres Parisiens jusqu'au modeste moi-même, a commenté l'affaire à sa façon»[15].

Sur qui, sur quoi caquette Monsieur le Coq?

À travers ses Poulaillers, Monsieur le Coq traite de tous les sujets d'actualité de son temps, faisant feu de tout bois. Citons les thèmes les plus récurrents, pêle-mêle: les crises financières, les traités et conférences internationales, les défilés patriotiques, les éternelles remises de médailles, les fraudeurs et les profiteurs de guerre, les nouveaux riches, les nouveaux commerçants, la vie chère ou la vague de baisse, le socialisme ouvrier et le bolchevisme russe, les premières grèves communistes et la reconstruction nationale. Sans oublier le célèbre procès Landru, le match de boxe Carpentier-Dempsey, les conseils communaux liégeois, la crise du logement, les *Yankees,* la famine qui secoue la Russie, les progrès de la science et les diverses modes féminines.

C'est toujours par le petit bout de la lorgnette qu'il commentera avec ironie les faits dont il parle. Il montrera à ses concitoyens l'envers du décor, leur indiquant l'autre côté du miroir où l'on peut rire de ses propres ridicules, où l'on peut «s'esbaudir», comme il dit, sans crainte. Essayant d'être le plus proche possible de ses lecteurs, Monsieur le Coq les interpelle sans cesse, les bouscule dans leurs habitudes, leur tape sur l'épaule et montre du doigt leurs travers, leurs maladresses et leurs grimaces.

Le romancier Simenon se souviendra plus tard de ses Poulaillers: «Ces petits papiers sont le plus souvent axés sur la vie locale, avec un brin de poésie, une philosophie assez mièvre et facile, de l'ironie, etc.»[5].

Georges Sim fera apprécier à ses lecteurs le spectacle de la ville, les scènes de la rue, tout le sel des conversations qu'il glane ici et là, les racontars de son coiffeur, les propos de son «éternel vieil ami». Il fera aussi à l'occasion le portrait d'un personnage plus ou moins excentrique rencontré au hasard des quais et des venelles.

Monsieur le Coq glissera aussi à l'oreille de ses lecteurs

ses colères et ses paresses, ses sympathies et ses admirations, ses emportements et ses maux de tête: «Pourrait-on écrire un billet quotidien potable lorsqu'on est brutalement affligé d'une stupide stomatite aphteuse tout comme un vulgaire veau de sept mois!»[16]. Ou encore: «J'écris paresseusement ces lignes dans le cabinet de la rédaction obstinément fermé aux clartés printanières»[17].

Il est vrai que Monsieur le Coq avait averti ses lecteurs dès le 2 décembre 1919 par ces quelques mots: «Il est bien entendu, n'est-ce pas, chers lecteurs, que dans ce petit coin, nous sommes tout à fait entre nous».

Rarement tièdes, les billets de Monsieur le Coq sont traversés par une soif intense de vie et de couleurs, par le pouls fiévreux de Georges Sim, toujours à guetter le moindre instant de rue, à épier les boulevards et les gens, à respirer sans cesse les odeurs des maisons et des quais, infatigable chasseur de la matière humaine. Jour après jour, Monsieur le Coq distillera dans son billet sa passion de vivre. Franc-tireur, il se fera souvent l'avocat du diable, lançant des bâtons dans les routines perpétuelles de sa bonne ville de Liège. Il se montrera parfois sous l'aspect d'un trouble-fête dans cette vie de province programmée, il est vrai, comme du papier à musique.

Simenon s'exclamera à propos de ces billets, toujours incisif vis-à-vis de ses seize ans: «Comme je parlais surtout de la vie liégeoise, des événements plus ou moins politiques de la cité, comme aussi j'étais assez catégorique dans mes opinions, j'ai acquis une sorte de petite célébrité. Si l'on peut dire!»[3].

Non seulement Monsieur le Coq sera assez catégorique, mais mieux encore, il aura ses têtes de turc, ses bêtes noires: l'administration «tracassière» et le «syndicalisme rouge». Il étrillera les «ronds-de-cuir», dénonçant leurs abus, et esquintera les «travailleurs conscients et organisés», prêts à faire la révolution, les traitant de «bolchevistes».

Non, c'est un fait, Monsieur le Coq ne travaille pas dans la dentelle: il vocifère ses idées sans crier gare. Tout le monde en prend pour son grade. Il aura des coups de gueule, des grognes et des colères notamment à l'égard de «Dame Administration». Oui, il déversera toute sa bile et sa hargne sur les structures communales, provinciales et nationales de l'administration.

Sans vergogne, il s'attaquera aux «belles bedaines» et aux «belles calvities» qui dorment sur leurs dossiers et se réunissent – non pour travailler – mais pour faire bombance. Il ira même jusqu'à créer de toutes pièces un énergumène, «M. Lebureau», qui incarnera cette espèce si bizarre que constituent les fonctionnaires. Ces derniers sont parfois encore plus désarçonnés: «Avant la guerre déjà, M. Lebureau avait une réputation de gaffeur; il était fatal que la guerre le désoriente un peu plus...»[18]. C'est en rôdant aux alentours du Palais provincial que Monsieur le Coq a rencontré Monsieur Lebureau: «Dans les salles où trônèrent maints grands seigneurs aux pourpoints chamarrés, ce bon Monsieur Lebureau a installé des poêles en fonte. Monsieur Lebureau vit à l'aise, peint et repeint, fait sa popote, cuit son café, enfonce des clous, joue du trombone peut-être dans l'archaïque Palais. Peu lui chaut les styles, l'histoire. Il est bien là, cela lui suffit»[19].

Monsieur le Coq décrira, dans une série de billets, une véritable «galerie administrative» qu'il visitera pour l'édification de ses lecteurs. Il croque là, d'une plume incisive et mordante, les cinq échevins de Liège, ne les épargnant pas le moins du monde. La Ville de Liège devient la Ville de ...«Bouchon»! Voici quelques lignes consacrées au portrait du secrétaire communal qui est comparé à un... insecte cloué par l'épingle d'un collectionneur: «Devant ce grand corps, enfoui dans la paperasserie jaunie, mais conservant encore le rayonnement d'une flamme intérieure mourante, je songeai à la stupidité humaine, à la férocité des collectionneurs et des administrations. Condamner ainsi à la médiocrité des tâches bureaucratiques et rondecuirieuses un cerveau où bouillonnent des idées vastes et des projets grandioses, n'est-ce pas dessécher peu à peu ces belles forces vitales»[20].

Monsieur le Coq proférera des diatribes féroces à l'égard des «bolchevistes de tout poil», des socialistes belges et des communistes russes, les mettant tous dans le même sac. À longueur d'année, il leur cherchera des poux et des misères. À Liège, ce sont les «édiles socialistes» qu'il accablera de ses critiques acerbes, et souvent même acides. Les deux bourgmestres de Liège – entre 1919 et 1922 – seront ses deux principales cibles: Valère Hénault, et, à partir de septembre 1921, Émile Digneffe. Mais il aura aussi maille à partir avec l'échevin Louis Fraigneux, comme nous le verrons dans l'affaire des *Trois Caisses de l'Hôtel de Ville*. Mais les ministres socialistes de l'après-guerre ne seront pas épargnés. Citons les principales victimes qui tomberont sous son couperet et sous les avalanches de ses attaques: MM. Émile Vandervelde, ministre de la Justice; Anseele, ministre des Travaux publics; Wauters, ministre de l'Industrie, du Travail et du Ravitaillement, et Destrée, ministre des Sciences et des Arts.

Quand on voit Monsieur le Coq s'allier d'amitié avec un fonctionnaire, il convient de se méfier: ce n'est jamais innocent ! Et ce, d'autant moins qu'on est à la veille d'élections législatives, comme c'est le cas en novembre 1921. Un exemple: il consacre avant la date fatidique du 20 novembre de cette année-là une série de dix Poulaillers à son ami, Jérôme Paturot, fonctionnaire communiste qui... critiquera férocement les socialistes! Il lui met dans la bouche ces mots: «Socialiste, je ne le suis pas plus que républicain. Qu'est-ce, en somme, que ce grand mot, sinon le titre du mouvement déclenché pour faire échec aux généreux efforts des communistes! Communiste, telle est la qualité que je revendique, et quand vous m'avez interpellé, je pestais une fois de plus en moi-même contre ce socialisme ridicule, qui n'a même pas de son côté un atome de raison»[21]. Ce n'est qu'à la suite d'une lettre d'un lecteur courroucé que Monsieur le Coq fera taire le 23 novembre 1921 son ami Jérôme Paturot. Mais en fait, à cette date-là, les élections sont faites depuis belle lurette: c'est donc un pur artifice, lui permettant de changer habilement de décor.

Monsieur le Coq jette sur les êtres et les choses un regard satirique, fantaisite, toujours insolite. Il se montre terriblement apte à comprendre la "matière humaine": «Jusqu'à la Cour d'assises inclus, je défie bien quiconque de trouver un être humain qui ait tort. Nous avons en nous des ressources infinies de foi, d'admiration ou de clémence envers nous-mêmes. Et l'esprit est un acrobate de première force qui fait un merveilleux saut périlleux alors qu'on le croyait prêt à se rendre:
– Tu veux toujours avoir raison!
– Quel toupet! C'est bien toi au contraire qui ne veux jamais avoir tort!». Et Monsieur le Coq de lancer: «Embrassez-vous plutôt!»[22]. Ou encore: «Décorez un homme d'un ordre quelconque; il crèvera de plaisir. Décorez-en cent, ils se contenteront d'un mouvement d'orgueil. Décorez-en mille: ils s'inquiéteront à peine de l'honneur qu'on leur fait»[23].

Monsieur le Coq, que pensez-vous de votre Poulailler?

Accepté bon gré mal gré, le métier de chroniqueur ne semble pas lui tenir toujours à cœur: «Je me suis senti attiré tour à tour par cinq ou six professions différentes; jamais je n'ai songé à celle de chroniqueur»[24]. Il décrira à deux reprises ses confrères et lui-même comme étant «de pauvres diables, condamnés aux travaux forcés du billet quotidien à perpétuité ou de notes de la semaine, et autres chroniques chroniquement ennuyeuses»[25]. Qu'est-il, sinon un «fabricant de billets quotidiens, qui a pour tâche principale dans la vie, d'aligner chaque jour quelques centaines de mots, plus ou moins sensés, plus ou moins grotesques, spirituels, graves ou bouffons»[26]. En d'autres termes, sa fonction est «de divertir chaque jour le lecteur en l'entretenant avec plus de gravité qu'il convient, de quelconques actualités»[27].

Plus tard aussi, le romancier se sentira parfois trop tenu à écrire des *Maigret*. Simenon préférera se définir comme un artisan, comme un fabricant de romans, plutôt que comme un écrivain. Affaire de mots, direz-vous, mais qui révèle une mentalité.

Monsieur le Coq ne se fait aucune illusion sur l'importance du modeste champ de ses cinquante lignes[28]. «Il n'est rien de si dangereux, souligne-t-il, que ces petits billets, faits de bouts de phrases; on n'a pas le temps de tout dire. Et l'on doit compter avec les gens terribles qui veulent lire entre les lignes»[29]. Très justement, il décoche cette exclamation: «Pour deux personnes qui rient, il y en a à peu près quatre qui sourient, trois qui haussent les épaules, et une qui se fâche tout rouge»[30]. Ailleurs, il avoue déployer dans ses billets un «ton leste, rieur, mordant, frondeur, ironique ou burlesque»[31]. Dans ses jours de mauvaise humeur, il déclare qu'il compte bien un jour «abandonner la confection de ses Poulaillers improductifs et s'adonner à une culture plus en rapport avec les besoins de son estomac»[32].

À la fin de sa vie, Simenon enregistrera au moyen d'un magnétophone ses *Dictées*. Il dira: «En somme, comme dans ma première adolescence, j'en suis revenu au billet quotidien, un billet que j'ai besoin de dicter, comme j'avais besoin d'écrire celui de la Gazette de Liége Aux deux bouts de ma vie, je retrouve la même passion pour l'impression du moment, pour un rayon de soleil ou pour la froideur de la pluie sur ma nuque, pour un personnage entrevu et sur lequel je me mets à me poser des questions». Sa seule passion d'alors, en plus de celle des femmes, était «de renifler la vie sur les trottoirs ou le long des chemins de campagne»[33].

1. Dictée «Des traces de pas», 1975, p.9.
2. «Simenon reçoit…», 1970, p.3.
3. Dictée «Un homme comme un autre», 1975, pp.16-17.
4. «L'âne rouge», Presses Pocket, p.15.
5. Dictée «Quand j'étais vieux», 1970, p.136.
6. «Les trois crimes de mes amis», pp.32-33.
7. Dictée «La femme endormie», 1981, p.68.
8. «Hors du Poulailler» du 10 février 1921.
9. «Hors du Poulailler» du 4 mars 1922.
10. Dictée «Au-delà de ma porte-fenêtre», 1979, p.169.
11. «Hors du Poulailler» des 1er et 2 novembre 1920.
12. «Noss'Pèron», «Lettre à une petite bourgeoise», édition des 7-21 novembre 1920.
13. «Hors du Poulailler» du 9 janvier 1920.
14. Dictée «Quand vient le froid», 1980, pp.89-90.
15. «Hors du Poulailler» du 29 septembre 1922.
16. «Hors du Poulailler» du 24 février 1921.
17. «Hors du Poulailler» du 16 février 1921.
18. «Hors du Poulailler» du 19 août 1920.
19. «Hors du Poulailler» du 14 janvier 1921.
20. «Hors du Poulailler» du 1er février 1921.
21. «Hors du Poulailler» du 11 novembre 1921.
22. «Causons…» du 20 octobre 1922.
23. «Hors du Poulailler» du 26-27 février 1922.
24. «Hors du Poulailler» du 24 avril 1920.
25. «Hors du Poulailler» des 4 novembre 1920 et 10 février 1921.
26. «Hors du Poulailler» du 1er juin 1921.
27. «Hors du Poulailler» du 26 octobre 1922.
28. «Hors du Poulailler» du 10 janvier 1922.
29. «Hors du Poulailler» des 19-20 novembre 1922.
30. «Hors du Poulailler» du 26 octobre 1922.
31. «Hors du Poulailler» du 7 juin 1921.
32. «Hors du Poulailler» du 21 mai 1921.
33. Dictée «Tant que je suis vivant», 1978, p.165.

IX

LES MEDIAS VUS À TRAVERS LES «POULAILLERS»

La presse écrite et les journalistes

Monsieur le Coq se montre d'une férocité sans borne à l'égard de la presse écrite dont il critique vertement l'évolution. Ainsi, par exemple, à propos de l'illustration photographique: «L'information a aujourd'hui des exigences qui feraient s'indigner les journalistes de jadis. Les grands quotidiens se croient obligés, sans doute pour imiter le voisin, de parsemer leurs textes de photos ou clichés d'actualité. Et c'est bien la chose la plus ridicule qui soit dans un journal. Un journaliste d'antan dirait sans aucun doute que de voir un pardessus ou un haut de forme se profiler sur un carré de 7 sur 15 cm, le public ne connaît ni plus ni moins les arcanes de la politique». Et Monsieur le Coq de marteler sur un ton sentencieux: «Auparavant, il n'y avait pas de clichés dans les journaux, mais il y avait plus d'articles et parfois même, des idées»[1].

Les journaux décernent aux hommes politiques une «quotidienne immortalité», mais ces derniers ne peuvent se comparer aux héros de jadis: «Il fut un temps où une odyssée de quelques milliers de vers était nécessaire pour fabriquer un héros. Il est vrai que ces héros-là restaient héros durant quelques milliers d'années»[2].

Sur les conditions de travail dans la presse, il écrira notamment ceci: «La profession de journaliste exige la production d'une grande quantité de copie en très peu de temps

– exactement le temps qu'exige le plus rapide maniement de la plume»[3].

N'est-ce pas le meilleur apprentissage qui soit pour un bougre d'homme qui, plus tard, tapera à la machine 40 à 60 pages de roman populaire tous les matins?

Monsieur le Coq se plaira à faire la leçon aux autres journaux liégeois, avec une hargne particulière à l'égard du quotidien La Meuse dont il critiquera souvent le titrage: «Achetez la Meuse; ne l'ouvrez pas, afin de ne pas laisser échapper le flot de découpures dont l'emplissent les journaux français. Arrêtez-vous à la première page. Lirons-nous ensemble? "Partout, sous les pas des Souverains anglais des fleurs d'amitié surgissent". Sûr qu'à Bruxelles les agents de police ne font pas arracher les herbes d'entre les pavés! "L'énigme russe... se détache lentement du mystère". Évidemment, ceci, c'est du symbolisme. Faut pas essayer de comprendre: faut déguster, comme du Maeterlinck»[4]. Pas moins de vingt fois, Monsieur le Coq cassera du sucre sur le dos des autres journaux liégeois, dont quatorze fois sur La Meuse.

Quant aux lecteurs, Monsieur le Coq les plaint amèrement, submergés par tant d'informations qui ne leur servent qu'à si peu de choses: «Mais oui, il faudra lire le journal, se mettre au courant des nombreux événements du jour, ou des changements survenus sur la face du globe! Si l'on n'est pas au courant de ces choses on ne peut plus prétendre au titre d'homme intelligent! On ne peut se risquer dans une conversation... En soupirant, ils doivent se plonger jusqu'au cou dans ces histoires compliquées qui, cependant, ne changeront en rien le cours de leur existence»[5].

Monsieur le Coq n'en oublie pas moins qu'un lecteur est toujours insatisfait et mécontent de son journal: «Qu'il est malaisé de contenter un lecteur et... un autre lecteur! Et comme ceux-ci sont loin de s'imaginer les prodiges de diplomatie que l'on doit employer pour boucler le journal quotidien. C'est qu'en règle générale, chacun voudrait voir dans sa feuille la seule matière qui l'intéresse. Le Monsieur sérieux que passionne la question grecque s'irrite, après lecture de l'article de fond, en s'apercevant que celui-ci est de trois lignes plus court que la chronique colombophile dont se régalent maintes braves gens»[6].

Furieux, les lecteurs réagissent parfois mal face à la critique: «Ils sont légion les gens qui tiennent rigueur à la critique parce qu'elle ne se conforme pas à leur tempérament ou à leurs fantaisies. Ils sont nombreux ceux qui se désabonnent d'un journal parce que le chroniqueur musical, théâtral ou autre égratigne en passant l'une de leurs idoles. Le critique n'a qu'une voix comme les autres; libre à chacun de s'inscrire en faux contre lui»[7].

Les plus dangereux parmi les lecteurs sont les "boulimiques d'informations": «Il y a des gens qui vous abordent invariablement avec la bouche remplie de questions. Les questionneurs féroces s'imaginent que, de par ses fonctions, un rédacteur de journal doit être au courant de tout ce qui se passe, dans tous les domaines. Bref, dans l'esprit de ces gens, le journaliste est un personnage de leur sorte, lisant la gazette depuis la première jusqu'à la dernière ligne. N'empêche que c'est une peste que ces gens avides de se bourrer le crâne d'un tas d'informations dont ils n'ont que faire, et qui ne leur procurent que matière à exercer leur bile et leur langue»[8].

Par ailleurs, Monsieur le Coq songe à l'institution d'un ordre européen de l'information: «Il suffirait de créer un emploi, un seul emploi pour toute l'Europe. Le titulaire s'appellerait par exemple: Ordonnateur des événements ordinaires et extraordinaires. Sa tâche consisterait à établir une sorte de programme suivant lequel les entrevues politiques, les incidents diplomatiques, les catastrophes et les crimes se dérouleraient, et ce, de telle sorte, qu'il n'y ait jamais ou trop ou trop peu de matière»[9].

La T.S.F.

Pour Monsieur le Coq, le progrès des sciences et des techniques est suspect. C'est pourquoi, il se montre souvent nostalgique et regrette les temps passés. Certains billets expriment des appréhensions qui sont énoncées avec un accent d'une étonnante actualité. Il suffit de penser, par exemple, aux craintes ressenties de nos jours par certains face à l'évolution galopante de l'informatique. Monsieur le Coq s'écrie: «C'est toute une génération qui, si l'on va trop vite en besogne, se débattra contre des masses d'habitudes dans un monde qu'elle ne comprendra plus. Le progrès, c'est très beau. Encore faut-il qu'il n'aille pas plus vite que les hommes»[10]. Mais il ne s'interdit pas de sourire avec ironie des scènes familiales provoquées par le téléphone: «Avez-vous le téléphone? Si vous ne l'avez pas, vous vous dites sûrement que cela doit être agréable. Il suffit d'un moment pour parler à tel ami, demander des nouvelles à ma tante, m'inquiéter de la santé de mon oncle. Si vous avez le téléphone, vous savez que jamais vous ne songez à votre ami, à votre tante ou à votre oncle. Mais chaque soir, votre femme murmure: «C'est ennuyeux, cette sonnerie! Neuf fois sur dix, ce sont des gens qui se trompent de numéros. Le dixième, c'est un gêneur ... ou un créancier!»[11].

Ailleurs, Monsieur le Coq se révèle humoriste, en distillant tout à la fois un ton nostalgique: «Au lieu de crier dans la cheminée le traditionnel «Merci Saint-Nicolas!», les enfants transmettront par ondes hertziennes «Bien reçu poste T.S.F. complet. Prière envoyer cristaux de rechange!». Je suis heureux d'avoir reçu jadis les contes de Perrault illustrés en couleurs et un arlequin rigoleur!»[12].

Les journalistes ne sont pas à l'abri des ennuis et perturbations du téléphone, souligne Monsieur le Coq avec des traits pleins d'humour: «Les communications locales sont généralement faciles à obtenir et bien desservies. Mais si l'on doit téléphoner hors ville, entre Liège et Bruxelles par exemple, c'est une autre affaire.
– Allô, Mademoiselle! Bruxelles!
– Vous êtes le vingt-huitième, Monsieur.
On devine le sourire amusé sur le visage de la demoiselle. Que de fois il faut «appeler» sans jamais être élu. Il n'y a pas à dire: c'est là un admirable passe-temps. Malheureusement tout le monde ne peut pas immoler son existence au bon plaisir de l'administration. Les journalistes par exemple sont d'excellents clients du téléphone, on leur devrait un tour de faveur. Ah! bien oui! la «presse» est traitée comme une intruse dans le monde où l'on est jamais pressé!»[13].

La publicité

Monsieur le Coq n'a aucune, mais alors là, aucune sympathie à l'égard de la publicité. Il pique des colères formidables face à des événements d'actualité sur lesquels, à son gré, la presse écrite s'attarde trop.

Il caquettera à propos d'un match de boxe annoncé avec fracas: «C'est l'histoire de tous les grands orgueils modernes, j'entends de tous les orgueils sans cerveaux. C'est l'histoire de l'emballement populaire, de la publicité, du tam-tam, comme on dit en style journalistique. L'histoire de la célébrité que l'on fabrique à coups d'affiches, d'interviews et de bluff, à coups de poings aussi, si vous voulez»[14].

«Je ne sais pas si, comme moi, vous ressentez un certain dépit lorsque, en lisant votre journal vous vous apercevez, vers la dixième ligne, qu'un articulet au titre alléchant est une réclame pour la Névrosine ou les pilules Trink. Ce dépit peut se changer en rage concentrée, dite «rage froide», lorsque ce léger accident vient à se reproduire quatre ou cinq fois au cours de la lecture quotidienne»[15]. Même dans les rues, on ne voit que «des monstrueuses réclames lumineuses qui éclairent à grands renforts de watts, d'ampères et de bougies, un ciel qui n'a nul besoin de chandelles»[16]. Par la publicité, l'environnement urbain se modifie, au grand dam de Monsieur le Coq qui se scandalise: «Chaque jour, notre ville aux pignons souvent si pittoresques, cependant, s'enlaidit de nouveaux placards aux couleurs aussi peu harmonieuses et aussi criardes que possible. Bon moyen d'attirer le regard, mais pas à coup sûr de le retenir»[17]. Monsieur le Coq se montre de nouveau nostalgique: «Ah! les braves hommes-sandwichs d'antan, humbles, pas trop insistants, passant en file le dos courbé. Du moins n'en rencontrait-on pas à chaque pas, et les lettres de leurs réclames ne s'étendaient-elles pas sur trois mètres carrés chacune!»[18]. Les enseignes de magasins le font gémir: «Il fut un temps, paraît-il, où l'humanité possédait encore l'art des enseignes et des noms de rue. Si cela est vrai, l'humanité a perdu la portion de son cerveau où sommeillait un dernier rayon d'originalité. Et c'est bien dommage!»[19].

À propos du nom des rues: «C'est une aventure assez vexante d'arriver dans une rue, d'y voir sur une plaque d'émail le nom d'un concitoyen et d'être dans la plus profonde ignorance sur les mérites d'icelui. Mettez un de vos petits-enfants devant une rue Jean Bonhomme, ou Herman Frenay Cid. Ils n'iront jamais se douter que ces gloires étaient des gloires littéraires, qui faisaient tressaillir le luth des journaux quotidiens»[20].

Ah! si on avait pu chuchoter à l'oreille de Monsieur le Coq qu'une rue de son quartier porterait un jour son nom

«Rue Georges Simenon, anc. rue du Ponçay» sans aucune autre indication.

Le cinéma

De nos jours, nombreux sont ceux qui dénoncent l'invasion de l'Europe par le cinéma américain. Et de souligner le risque d'aliénation culturelle.

À l'époque de la Gazette, Georges Sim traite déjà cette idée, et avec beaucoup de conviction: «On a beaucoup dit, écrit, pensé, déclamé, versifié, rimé contre le cinéma. Eh bien, il est une récrimination que je n'ai pas entendue encore à l'égard du cinéma moderne: il nous américanise trop! Car, c'est un fait: depuis Charlie Chaplin jusqu'à Douglas Fairbanks, ces gens-là, qui sont séduisants, vus dans un certain jour, nous apprennent à penser, à vivre comme des citoyens du Nouveau Monde. Pis encore: ce qu'ils nous apprennent, ce sont les défauts de l'Amérique, ses moins louables traits de caractère. La vieille Europe se laisse intoxiquer peu à peu; la fièvre du gain, des affaires à outrance la gagne, l'agite... Et tout cela au son du piano épileptique» [21].

Avant la psychologie moderne, Georges Sim nous parle même des phénomènes d'identification et de projection qui s'opèrent lorsque les spectateurs purgent leurs tensions inexprimées en s'identifiant au héros du film. «Chacun y trouve son idéal, ou plutôt l'idéal correspondant à ses dispositions du moment. Le neurasthénique pourra à son gré broyer du noir pendant que l'on spolie l'orpheline ou que l'amoureux est évincé; par contre, Charlot permettra aux optimistes de voir la vie sous un jour follement réjouissant; à la recherche d'émotions plus éthérées, tel Monsieur se plongera avec délices dans les reconstitutions de l'antique. Bref, il y en a pour tous les goûts. Et même, n'y a-t-il pas tous les goûts de chacun? Ne désirerait-on pas successivement que la vie fût un vaudeville, un drame, voire un froid «documentaire» selon que nos affaires suivent tel ou tel cours?» [22].

Rien de neuf sous le soleil; déjà à l'époque, Georges Sim abordait le thème de la crise du cinéma: «Pourquoi nous n'allons plus au cinéma? On nous y montrait trop de bêtises, parbleu! Car, en somme, lorsqu'il sort du cinéma, ce bon public a, plus souvent qu'il ne le désirerait, l'impression qu'on s'est payé sa tête, ou qu'on l'a pris pour un ramassis de gogos»[23].

Dans la même foulée, Monsieur le Coq se moque allégrement de Charlot: «Charlot fait partie maintenant de nos petites habitudes, avec la tasse de café du matin et le cigare du dessert. Et puis aussi, c'est un sujet de conversation et, par ce temps de pénurie, même d'esprit, un sujet de conversation n'est pas à dédaigner:
– À propos, j'ai vu *Charlot travaille!*
– Ah! que vous en semble?
– Peuh! Je le préférais dans *Charlot à la campagne*.

C'est fatal, tout comme la grippe espagnole, il faut qu'on y passe»[24]. Georges Sim nommera ce phénomène la *Charlotomanie,* véritable fléau dont il nous décrit les symptômes extérieurs: «Les foyers d'infection sont tout particulièrement les salles de cinéma. Cependant la lecture de certains journaux et la vue de certaines affiches peuvent suffire à certaines personnes impressionnables. Les principales victimes sont les enfants de douze à quinze ans. C'est du moins chez eux que la crise acquiert toute son intensité. Elle se traduit par un balancement régulier et disgracieux des jambes, un amour immodéré des cannes flexibles, des moustaches postiches. .. Et tout le monde se dandine, se dandine... Bientôt Charlie Chaplin sera le seul homme à marcher convenablement dans la rue»[25].

Monsieur le Coq veut à tout prix protéger les enfants contre les effets pervers du cinéma qu'il dénonce: «L'éternelle histoire: sur l'écran Douglas Fairbanks, Tom Mix, ou un quelconque acrobate américain fait sauter des coffresforts. (...). Dans la salle un gosse de douze ans qui vient de voler douze francs à ses parents se cache sous les banquettes...»[26].

Georges Sim va plus loin dans son approche du cinéma que Monsieur le Coq. Pour une cause toute simple: il est correspondant à Liège de la revue *La Cinématographie française* qu'il lit avec passion. Cette revue était à l'époque l'organe officiel de l'association des producteurs et des distributeurs de films en France et à l'étranger.

Écoutons Simenon en parler lui-même: «Pour la Belgique, il n'y avait qu'un seul représentant de La Cinématographie française. Il écrivait de Bruxelles et n'accordait aucune place aux cinémas de Liège. De là à écrire à l'épais mensuel publié sur papier glacé, il n'y avait qu'un pas. Je le franchis. J'écrivis une longue lettre au directeur pour lui dire combien de salles nous avions à Liège et dans les environs et me proposer comme correspondant. Il dut me prendre pour un vrai journaliste, peut-être barbu et grisonnant? Toujours est-il qu'il accepta ma proposition et me fixa le tarif auquel il paierait mes articles. J'allai bravement chaque semaine faire le tour des salles pour m'enquérir du nombre de spectateurs, de la recette, etc. Quelques mois plus tard, l'Association de la Presse liégeoise décida un voyage de trois jours à Paris, avec visite des ateliers du *Journal,* rue de Richelieu, et deux ou trois banquets pour le moins. C'est à un de ces banquets qu'un monsieur en redingote, très grand, presque majestueux, important, m'examina des pieds à la tête, surpris, pour s'avancer enfin de deux ou trois pas.

– Vous êtes bien Georges Sim?

Je répondis que «oui» non sans inquiétude.

– C'est donc vous qui êtes notre correspondant liégeois?

Je ne paraissais pas plus que mon âge et les pantalons que je portais étaient encore mes premiers pantalons longs.

– Vous êtes bien jeune...

Que dire? Je me lançai dans un discours sur mon amour du cinéma, sur la joie que me procurait ma collaboration à son journal. Il ne devait d'ailleurs pas m'écouter et jouait sans cesse avec son monocle qui m'impressionnait. En fin de compte, il me tendit une main molle et soupira:

– Bon... Continuez...

Après quoi, il s'éloigna. J'avais presque envie de crier au miracle, car je m'étais attendu à ce qu'il me pince le nez ou l'oreille comme on le fait à un gamin malappris»[27].

---

1. «Causons...» du 22 septembre 1922.
2. «Hors du Poulailler» du 5 janvier 1921.
3. «Hors du Poulailler» du 14 juillet 1921.
4. «Causons...» du 19 mai 1922.
5. «Hors du Poulailler» du 15 juin 1920.
6. «Hors du Poulailler» du 3 septembre 1921.
7. «Hors du Poulailler» du 11 janvier 1922.
8. «Hors du Poulailler» du 15 avril 1922.
9. «Hors du Poulailler» des 8-9 août 1920.
10. «Causons...» du 1er août 1922.
11. «Causons...» du 2 août 1922.
12. «Causons...» du 2 décembre 1922.

13. «Hors du Poulailler» du 24 décembre 1922.
14. «Causons…» du 27 septembre 1922.
15. «Hors du Poulailler» du 18 mai 1920.
16. «Hors du Poulailler» du 1er mars 1921.
17. «Hors du Poulailler» des 25-26 septembre 1921.
18. «Causons…» du 28 septembre 1922.
19. «Hors du Poulailler» du 20 janvier 1922.
20. «Causons…» du 20 juillet 1922.
21. «Hors du Poulailler» du 26 avril 1922.
22. «Hors du Poulailler» des 13-14 février 1921.
23. «Hors du Poulailler» du 6 juillet 1921.
24. «Hors du Poulailler» du 19 février 1920.
25. «Hors du Poulailler» du 3 septembre 1920.
26. «Hors du Poulailler» du 3 décembre 1920.
27. Dictée «Quand vient le froid», 1980, pp.90-91.

X

LE COMMISSAIRE MAIGRET ENTREVU
À LIÈGE

Un fait est indéniable : alors que Sim est reporter à la Gazette, il existe bel et bien un policier liégeois d'une trentaine d'années qui s'appelle Arnold Maigret. Il est affecté au service de roulage ; il devait plus tard mourir dans les camps de concentration nazis. Aujourd'hui, on peut encore relever son nom sur une plaque commémorative placée sur un mur de l'Hôtel de Ville de Liège. Se sont-ils ou non rencontrés ? C'est une autre question. Quand on sait que, durant quatre ans, Georges Sim fut plongé dans l'univers des faits divers, il ne serait guère étonnant d'apprendre qu'ils se connaissaient bien.

Sur le choix du nom de son commissaire, Simenon dira l'avoir trouvé «à son insu»…

Denyse Simenon n'explique-t-elle pas dans son livre *Un oiseau pour le chat* à propos de la création même du commissaire Maigret : «Il l'avait forgé, comme toujours, à partir de plusieurs policiers authentiques : le commissaire ami de son grand-père qu'il avait connu dans son enfance ; celui qu'il rencontrait plus tard en faisant, pour la «Gazette de Liége», la tournée des «chiens écrasés» ; le commissaire principal Guillaume, de la Police Judiciaire de Paris, puis son successeur, le commissaire Massu»[1]. Le commissaire qu'il rencontrait tous les matins à Liège s'appelait Jean Mignon.

À l'instar des meilleurs limiers, Georges Sim révèle déjà une sacrée envie de se lancer sur la piste de criminels et d'essayer de percer des mystères : «Cinquante pour cent de ces «faits divers» ajoutent: auteur inconnu. N'est-ce pas l'occasion de mettre à l'essai les petits procédés de Sherlock Holmes ou d'Arsène Lupin! Évidemment l'on risque de rentrer souvent bredouille, on est même presque certain de n'attraper jamais que des rhumes de cerveau»[2].

Le mot «mystère» revient souvent à travers ses billets.
Il écrira plus tard des romans aux titres pourvus de mystère: *Les Mystères de l'Atlantique* (1929); *Marie Mystère* (1932); *Le Mystère des 7 pivoines* (1932) et, enfin, *Les 13 Mystères* (1932).

À Liège, chaque matin, Sim se rend, comme nous l'avons déjà souligné, au commissariat de police. C'est là qu'on lui lit, ainsi qu'à ses confrères, les rapports journaliers. À ce propos, Simenon nous précisa par lettre en 1984: «Les cinq représentants des journaux liégeois se retrouvaient tous les jours au commissariat et nous étions de bons amis». Comme aujourd'hui encore, n'était-ce pas l'occasion rêvée de s'échanger entre confrères blagues et potins? Sim ne revenait donc pas seulement à la rédaction la besace pleine de faits divers, mais aussi de faits comiques et hilarants. Sans oublier les truculentes scènes de la rue auxquelles il pouvait assister en chemin. Voilà de bonnes récoltes qui devaient suffire à alimenter tout à la fois la rubrique des "chiens écrasés" et son billet d'humeur Hors du Poulailler.

De la sorte, il apprit à retirer tout le sel des faits apparemment anodins de la vie de tous les jours et à les raconter par le petit bout de la lorgnette. Pour un futur écrivain, c'est là une expérience d'une valeur fondamentale: apprendre à observer, à emmagasiner et à raconter.

Dans la lettre qu'il écrivit en 1954 de Lakeville à l'Association de la Presse belge, Simenon se souvint des premiers faits divers qu'il suivit: «Deux jours, dix jours plus tard, je ne sais plus, on m'envoyait dans une ruelle de mon propre quartier, Outremeuse, où une fusée d'obus, qu'un ouvrier polissait pour en faire un presse-papier, venait d'éclater tuant toute la famille, le père, la mère, deux ou trois enfants, dont les corps étaient si déchiquetés qu'on retrouvait des lambeaux de chair dans les coins et sur les murs. Je revois aussi, rue Sur-les-Foulons, dont quelques semaines plus tôt, je ne soupçonnais pas l'existence, une femme en chemise dont la tête venait d'être coupée aux trois quarts à coups de hache. Je revois aussi un chef de police, qui avait peut-être le vertige, se glisser quand même sur un toit par une lucarne pour sauver un homme que la foule menaçait de lyncher».

Ce dernier fait divers est fort important. Simenon transposera directement cette scène dans son roman *Les fiançailles de M. Hire*. C'est dans l'édition du dimanche 17 juillet 1919 que Georges Sim narre par le menu dans les colonnes de la Gazette les péripéties d'une bagarre survenue dans les bâtiments de l'hôtel Schiller, situé à deux pas du journal. Une bagarre qui ne tardera pas à dégénérer en une véritable émeute populaire.

L'origine de l'affaire est simple : un garçon de café, soldat démobilisé, vient d'être mis à la porte de l'hôtel Schiller, car il trompait les clients. Il revient chez son ancien patron, M. Hanoul, à seule fin de faire du tapage. Le fils du patron, Godefroid, intervient alors et le passe à tabac à tel point qu'il doit recevoir des soins. L'incident s'aggrave quand dix soldats présents croient comprendre que c'est un mutilé de guerre qui vient de se faire battre comme plâtre. C'est alors le saccage en règle de l'hôtel. Entre trois heures et sept heures de l'après-midi, ces dix soldats entraîneront la foule dans une spirale de violence inouïe qui aboutira à un autodafé. Poursuivis par ces soldats en colère, les père et fils Hanoul se sentent menacés. Soudain, un coup de feu est tiré. «La foule hue et les cris "À mort! À mort!" fusent de toutes parts. La police, quoique renforcée par des agents venant du poste central, se voyant débordée, fait appel à la gendarmerie».

On se croirait alors assister à des scènes de western : «Le maréchal des Logis Van de Velde, pénétrant dans l'établissement (…), essuie deux coups de feu tirés par Hanoul père, blotti derrière le comptoir : il riposte de la carabine. Les cinq hommes de la gendarmerie prennent des dispositions d'assaut, s'introduisent dans le café à la fois par le vestibule et la grande salle. Le commandant du détachement parvient près de Hanoul qui braque de nouveau son revolver dans sa direction, mais sous la menace du canon de fusil, il remit son arme en poche et le gendarme, aidé du policier Humblet, le maîtrise». On cherche alors le fils, Godefroid.

Sous le sous-titre *Des blessés,* le reporter Sim décrit le triste sort réservé à son confère Deblauwe dans cette affaire.

Plus tard, le romancier Simenon fera entrer ce Deblauwe

dans son roman *Les trois crimes de mes amis.* Ce dernier deviendra un assassin, tout comme le libraire Hyacinthe Danse qu'il a connu à Liège. Sans oublier le peintre Klein qui se donnera la mort. Durant ces années à la Gazette, soulignons-le, Georges Sim vivra dans le voisinage de ces trois amis. Lui ne basculera pas dans la criminalité. Sans doute grâce à l'indulgence et de son père et de M. Demarteau. Simenon retiendra cette leçon toute sa vie, transmettant au commissaire Maigret cette même indulgence à l'égard des criminels. Simenon choisira une devise qui s'inscrit dans cet univers: «Comprendre et ne pas juger».

«Notre sympathique confrère de La Meuse», M. Deblauwe, que le zèle professionnel avait entraîné au plus fort de la mêlée, est pris pour le fils Hanoul, ayant une vague ressemblance avec ce dernier. Il est écharpé par les soldats, et la police doit intervenir pour le protéger: la face en sang et les vêtements en lambeaux, il est transporté à la Pharmacie centrale d'où il est transféré à son domicile, assez mal arrangé. Une demi douzaine d'autres personnes, atteintes par des éclats de vitre et des projectiles, y sont également soignées». Mais les événements se précipitent, il faut maintenant faire appel à l'armée et, peu après, à un peloton de gendarmes à cheval! «La porte est forcée»: les soldats ont lancé l'assaut. «L'exaspération est à son comble: on crie, on hurle, on trépigne». Certains des soldats saccageurs jettent par les fenêtres des meubles et de la vaisselle; les autres boutent le feu aux tas d'objets tombés dans la rue. «Deux autos de pompiers stoppent devant la maison et l'on s'attaque au feu». L'escalade se poursuit: «Une partie de la foule se porte vers la rue de l'Official».

Suite à un bris de vitres, les gens emportent du linge et des provisions: «...quelques soldats sortent encombrés de butin et se mêlent à la foule. Le reporter Sim observe alors: une auto du quartier général de la position fortifiée de Liège stoppe devant nos bureaux, deux militaires s'installent sur le toit de la voiture et prennent des photos. Quelques gendarmes à cheval établissent bientôt l'ordre dans la rue de l'Official». Peu à peu, la foule se calme.

Sous le sous-titre *Hanoul sur les toits,* Sim relate: «À 8 h 15, Hanoul, que protègent les gendarmes, est traqué. S'il est découvert, la foule aura bientôt fait de le lyncher. Aussi l'angoisse est-elle grande. Bientôt, Hanoul apparaît à une lucarne du versant nord du toit et, lentement, en fait le tour. Après s'être noué un mouchoir autour du cou, il descend sur le toit de la droguerie voisine et, avec précaution, s'introduit dans le grenier par la lucarne. Les gendarmes en faction sur la corniche de la maison le recherchent. Vont-ils le découvrir? La foule a perçu les mouvements et attend ce dénouement avec une vive impatience. Un officier de gendarmerie monte sur le toit et va parlementer à ladite lucarne. Reste maintenant à mettre l'hôtelier en lieu sûr, ce qui ne peut se faire sans danger au travers de cette foule surexcitée».

Simenon transposera cette scène qui l'avait fort impressionné dans le roman *Les fiançailles de M. Hire*. Le onzième et dernier chapitre de ce roman est totalement consacré à la description d'une scène identique qui sert de pierre angulaire au dénouement du récit. Lisons quelques lignes-clé: «Tuez-le! On disait cela. On hurlait des tas de choses. Il y avait un vacarme universel et une voix forte qui essayait de le dominer:
– Laissez-le! Laissez faire la police!
Ce qu'il réalisa alors, il ne l'eût jamais tenté de sang froid. Au-dessus de sa tête, il y avait une lucarne dans le plafond en pente. Il s'y suspendit. Du zinc lui coupa les mains, mais il gigota, balança les jambes, en accrocha une au rebord de la lucarne. Il était sur le toit au moment même où l'on envahissait la mansarde tandis que la vieille hurlait à mort».

Où Sim entre à l'école du judiciaire...

Non seulement Georges Sim chasse les faits divers et pourchasse les affaires pleines de mystère, mais il s'intéresse de près aux méthodes de la police judiciaire. Bien plus tard, Simenon affirmera – quand il avait déjà écrit les six ou sept premiers *Maigret:* «Je n'avais jamais mis les pieds à la P.J.... J'étais déjà passé devant le quai des Orfèvres, parce que j'adorais me promener le long de la Seine, mais je ne connaissais absolument rien à l'organisation policière. J'avais lu quelque ouvrage de médecine, de police scientifique, c'était tout»[3].
Georges Sim a néanmoins suivi à l'université de Liège, durant l'hiver 1920-1921, une série de conférences consacrées à *La*

La Police Scientifique

En 1919, M. le docteur Locard, directeur du laboratoire de Lyon, écrivait, dans la préface de son livre sur la Police : « Il est hors de doute que nous allons assister à la plus belle floraison de crimes des temps modernes. Le renchérissement de la vie, le trouble qui suit les cataclysmes sociaux (et quel fut pire ?) ont décuplé le nombre des infractions : vols et agressions. Police d'ordre et police judiciaire auront un labeur inouï.» Les dernières statistiques des délits commis à Liége ont confirmé ces prévisions. Mais si les malfaiteurs sont aujourd'hui légion, on peut dire que les Gouvernements ont modernisé leurs organisations répressives de telle sorte que le nombre de crimes impunis a sensiblement diminué.

La cause principale en est que la police, durant les dernières années, s'est inspirée dans une assez large mesure des méthodes que la science met à sa disposition.

Ces méthodes, qui vont se perfectionnant de jour en jour ont été exposées par M. Stockis, médecin légiste, dans une série de conférences qu'il a données cet hiver à l'Université de Liége. Comme, d'une part, ces sortes de causeries ne peuvent toucher qu'un public relativement restreint, et que, d'autre part, la création récente d'écoles officielles de police mette la question à l'ordre du jour, nous tâcherons d'exposer ici, dans ses grandes lignes, la situation actuelle de la police scientifique.

Ces renseignements, nous les devons à M. le docteur Sockis, qui a mis aimablement son érudition et sa compétence à notre disposition.

I. Le service dactyloscopique

Par le titre : Police scientifique, nous avons voulu désigner, non seulement cette branche proprement dite des méthodes scientifiques relativement nouvelles, mais, tout ce qui se rattache aux enquêtes criminelles.

En premier lieu, on doit citer la dactyloscopie. Comme le mot l'indique, la dactyloscopie n'est autre que l'examen des empreintes digitales. On sait que celles-ci ne sont pas autre chose que les traces que laisse le contact ou le simple effleurement d'un doigt sur une surface lisse quelconque.

Sans entrer dans des détails scientifiques, nous devons signaler que le dessin formé de lignes courbes, reproduit par ces empreintes est différent pour chaque individu, de même qu'il est invariable depuis la naissance jusqu'à la mort d'un individu et même jusqu'à la putréfaction du corps.

On comprend dès lors c'est là une base d'identification des plus précieuses, la plus précieuse à coup sûr. Aussi, en 1908, M. Stockis a-t-il été chargé d'organiser en Belgique, un service dactyloscopique similaire aux services fonctionnant déjà en France, en Angleterre et tout particulièrement en Allemagne. Depuis lors, dès qu'un individu est incarcéré du chef d'assassinat, de meurtre ou de vol, les autorités de la prison sont chargées de faire sa fiche d'identité. Celle-ci se compose, outre les renseignements d'âge, de profession, etc., de deux photographies du condamné, face et profil, et des empreintes de ses dix doigts. Ces fiches envoyées à Bruxelles, sont classées dans des locaux spéciaux du Palais de Justice.

De la sorte, dès qu'un crime ou bien encore un vol avec effraction de quelqu'importance a été commis, les empreintes digitales sont relevées sur les derniers objets qui ont été touchés par le coupable. Ces empreintes sont envoyées au service dactyloscopique qui peut savoir aussitôt si ce coupable inconnu est un récidiviste. En effet, si les empreintes concordent avec celles d'une des fiches classées, on connaît ainsi l'identité du meurtrier ou du voleur. Il ne faudrait pas croire que ce cas soit plutôt rare. En 1909, on comptait 23 identifications de cette espèce ; en 1901, 54 ; en 1911, 60 ; en 1912, 60 et en 1913, on en comptait 80. Malgré le grand nombre de fiches classées à Bruxelles (50.000), les recherches sont relativement courtes. A Paris, elles nécessitent un plus long travail, le nombre de fiches dépassant quatre millions. Est-il

besoin de dire que, pour les cadavres inconnus, on recherche, de la même manière, si l'on est pas en présence d'un individu ayant été condamné précédemment. Ajoutons que dans le début de mai 1921, M. Stockis a obtenu l'extension de ce service, en ce sens, que l'on classera de même les fiches dactyloscopiques des individus, qui, sans avoir été condamné ont eu, ne fut-ce que durant une heure, maille à partir avec la police. Ainsi, toute personne amenée à la Permanence ou à la brigade judiciaire sera inscrite sur une fiche, et celles-ci feront l'objet d'un classement spécial.

II. Les empreintes digitales et les enquêtes

Il ne faudrait pas croire que, si l'individu coupable d'un assassinat ou d'un vol avec effraction n'a jamais passé par les mains de la police, et par conséquent ne figure pas au classement dactyloscopique, les empreintes relevées sur les lieux deviennent inutiles.

Supposons, par exemple, qu'il y ait un individu soupçonné de ce délit. Il suffira de se procurer les empreintes de cet individu et de les comparer avec celles que l'on a relevées sur les lieux pour s'assurer de sa culpabilité. Pour cela il n'est même pas besoin de l'arrêter ou d'éveiller son attention. Un objet quelconque, verre, bouteille, etc., dont il se servira, suffira à l'enquête.

D'autre part, supposons qu'une bande soit arrêtée. Généralement il y a quelque difficulté à établir les responsabilités de chacun. Les empreintes relevées, soit sur les portes, les vitres brisées, les meubles fracturés, permettent, dans ce cas encore, d'établir nettement le rôle joué par chacun des prévenus.

Locard, dans son récent ouvrage sur les empreintes digitales cite de nombreux cas semblables. Citons celui-ci par exemple :

A la suite d'un vol commis avec effraction à la société des carburateurs Zénith, chemin Feuillat, à Lyon, on constate la disparition de 17 carburateurs. L'enquête reste infructueuse, mais quatre empreintes digitales ont été retrouvées sur les fracments de vitre dépolie brisée par l'effracteur. Ces empreintes, grâce aux recherches dans les collections de fiches du laboratoire, sont identifiées avec celles d'un nommé Legouez, dit le Grand Blond, déjà dix fois condamné pour vol, désertion, coups et blessures, etc. Legouez, arrêté, avoue, et l'on retrouve les carburateurs à son domicile.

Une autre affaire, plus typique encore : en février 1912, un cabaret de la rue Claudia reçoit la visite nocturne d'un individu qui vole plusieurs bouteilles de vin, et en boit d'autres sur place. L'individu avait la précaution d'envelopper ses doigts de linge appelé « nids d'abeilles ». Malgré cette précaution, une empreinte digitale put être utilisée. Le patron de l'établissement, soupçonnant un de ses clients, on prit les empreintes de celui-ci, empreintes qui s'identifiaient avec la trace relevée sur une des bouteilles.

Ces quelques traits permettent de juger de l'importance de la dactyloscopie, appliquée aux enquêtes criminelles. Elles doivent mettre en garde le public, et même la police qui, lorsqu'ils sont en présence d'un crime ou de toute autre affaire de ce genre, rendent trop souvent la tâche des experts malaisée, et parfois impossible, en touchant aux objets portant peut-être des empreintes intéressantes.

Finissons-en avec la dactyloscopie en signalant qu'en Amérique, par exemple, l'empreinte du pouce est exigée en même temps que la signature sur les chèques, reçus, et autres pièces sujettes à des fraudes quelconques. D'ailleurs, cette science a pris dans les pays du nouveau monde une extension considérable : des revues traitent uniquement les questions d'empreintes digitales, et, dans certains pays, en Argentine, par exemple, des fiches sont dressées pour la plus grande partie des citoyens. Les considérations qui précèdent expliquent pareille mesure !

(A suivre).

Georges SIM.

Police Scientifique. Tel est du reste le titre des deux articles qu'il publie les vendredi 3 et samedi 4 juin 1921. Il attaque son premier article en se référant directement à l'ouvrage du docteur Locard, directeur du laboratoire de Lyon, [qui] écrivait (en 1919) dans la préface de son livre sur la police: «Il est hors de doute que nous allons asssiter à la plus belle floraison de crimes des temps modernes. (...). Police d'ordre et police judiciaire auront un labeur inouï». Et Georges Sim d'enchaîner, guère rassurant: «Les dernières statistiques des délits commis à Liège ont confirmé ces prévisions». Il explique lui-même quelles sont ses sources d'informations: «Ces méthodes qui vont se perfectionnant de jour en jour ont été exposées par M. Stockis, médecin légiste, dans une série de conférences qu'il a données cet hiver à l'université de Liège. Comme, d'une part, ces sortes de causeries ne peuvent toucher qu'un public relativement restreint, et que, d'autre part, la création récente d'écoles officielles de police met la question à l'ordre du jour, nous tâcherons d'exposer ici dans ses grandes lignes la situation actuelle de la police scientifique». Sim précise: «Ces renseignements, nous les devons à M. le docteur Stockis, qui a mis aimablement son érudition à notre disposition».

Sans conteste, ces deux articles constituent la toute première trace d'un intérêt marqué de Georges Simenon à l'égard des méthodes d'investigation et d'enquête de la police, et ce, dès l'âge de dix-huit ans!

Ce gamin aux yeux grand ouverts ne perd rien de ce qu'il observe et de ce qu'il entend. Il pénètre peu à peu dans un monde qui ne tardera guère à le fasciner et à l'envoûter. À tel point qu'on ne compte plus le nombre de billets Hors du Poulailler dans lesquels Sim se plaît à écorcher avec verve et brio le judiciaire sous tous ses angles.

Commençons par la police. Monsieur le Coq fait d'abord un constat: «Après la vague de paresse, la vague de plaisirs, la vague de tango (voici, Madame), après tout cet océan, dis-je, voilà qu'on nous annonce la vague de crimes!»[4]. Il suffit en effet «de jeter un coup d'œil sur la quatrième page des journaux pour se rendre compte que les meurtres, les assassinats, les attaques à main armée, les vols, les cambriolages se multiplient de plus en plus»[5].

Dans un autre billet, il partage les peurs du citoyen: «Le fait est incontestable. Nos rues sont insuffisamment gardées durant la nuit. Le citoyen contribuable, qui se trouve forcé de déambuler par les rues, après minuit, n'est rien moins que rassuré»[6]. Ces lignes prennent une saveur particulière quand l'on sait que Sim avait pour malin plaisir de flâner tard dans les rues, à la recherche d'émotions fortes.

Face à cette insécurité urbaine, Monsieur le Coq se moque allégrement en filigrane du bourgmestre, chef de la police, qui pense avant tout à renouveler le costume de ses agents. «Avant de renforcer les cadres de police, avant de moderniser ses moyens d'action et ses procédés d'enquête, il est une réforme bien plus intéressante. Pensez donc: le costume de nos agents n'est plus du tout, mais là plus du tout à la mode du jour! Mais quoi! La police est la police, pour la parade, elle doit être un peu là»[7].

Toujours proche des «petites gens», Sim remarque que «malgré les chansons, malgré les journaux satiriques, malgré Courteline, le peuple a, au plus profond de lui-même, confiance dans le gendarme. Il croit, ou il feint de croire que les crimes les plus sauvages, les actes de banditisme les plus fréquents ne sont que des accidents, des réminiscences d'anciennes mœurs»[8]. Il conclut, réaliste: «Pourquoi les hommes auraient-ils changé?». Reprenant un ton ironique, il met presque le citoyen en garde, lui rappelant que le gendarme n'a rien d'un «superman»: «Pense-t-on que l'agent de police est un homme seulement, plus ou moins pusillanime comme les autres; pense-t-on qu'il n'est même pas armé d'un revolver, et que, à l'occasion, il aura peut-être de la peine à tirer du fourreau un gigantesque mais inoffensif coupe-choux!»[9].

Mais, par ailleurs, Sim suit aussi de fort près plusieurs enquêtes judiciaires. Il prend déjà le ton d'un journaliste investigateur qui, la pipe aux dents, va au-delà des faits, essaie de comprendre les ressorts du drame et, surtout, les hommes qui en sont à l'origine. Il est un fait certain, en plus du compte rendu des faits divers, Georges Sim fut chargé à la Gazette de Liége – probablement à partir de l'année 1920 – de la rubrique judiciaire.

Détail piquant: en sortant de la Gazette de Liége, rue de l'Official, Sim n'avait qu'à changer de trottoir pour entrer dans un bureau de tabac, chez Largefeuille, un commerce aujourd'hui situé rue Bonne-Fortune.

Où Sim hante la « Mystérieuse Maison du quai de Maestricht»...

Première enquête de Sim, en août-septembre 1920. Tout démarre le 19 août. Ce jour-là, avertie par des voisins, la police force la porte d'une habitation, sise au numéro 7 du quai de Maestricht, à Liège. Cette maison intrigue en effet le quartier.

Depuis le début du mois, la propriétaire, Mme Louise G..., 37 ans, vivant seule, n'est plus sortie de chez elle, ne donnant plus aucun signe de vie. Elle ne répond même plus aux coups de sonnette. Que s'est-il en fait passé? C'est dans les éditions de la Gazette du 4 septembre que Georges Sim révèle le fond de ce qui s'avère être une «grave affaire criminelle. Aujourd'hui, précise-t-il, que les besoins de l'enquête n'exigent plus le secret absolu, nous donnons à nos lecteurs le récit détaillé des événements». Le 19 août, les agents de police montèrent dans la chambre à coucher de la demoiselle. «De nombreuses taches de sang se trouvaient partout sur le grand lit, Louise G..., le visage littéralement exsangue, râlait». Celle-ci répondit «qu'elle était malade». Un médecin appelé sur place «eût tôt fait de reconnaître l'état réel de Louise G...». Aussitôt, «la police procéda à une première visite domiciliaire sans découvrir la trace du nouveau-né». Georges Sim précise: «Est-il besoin de dire que le parquet aussitôt averti arriva sur les lieux le jour même». Les scellés furent apposés. Sim s'attache alors à rendre compte minutieusement de l'enquête qui «se poursuivit assez lentement».

Sim évoque aussi la mère indigne: «Pendant ce temps, installée dans la chambre 121, d'un petit pavillon perdu au fond des jardins de la Maternité, Louise G... reprenait des forces». Et de poursuivre, établissant un parallèle hasardeux: «Sa tactique est assez semblable à celle de Landru en ce sens que, comme lui, elle commença par nier obstinément, refusant les éclaircissements demandés». Mais, ajoute-t-il, «l'enquête continuait, active, serrée, et, comme on va le voir, le mutisme ne fut bientôt plus possible devant le tissu de preuves accablantes».

Il explique alors comment la police parvint à démêler les nœuds de cette affaire. La police apprit, par des documents trouvés quai de Maestricht, que Louise G... avait eu un ami, un certain Joseph H..., percepteur de tramway, veuf de son état. «Sans le vouloir, note Sim, ce sieur H... devint, il y a huit jours, le fil conducteur, le point de départ, en quelque sorte, de l'enquête du Parquet». Car la police met la main sur une lettre de ce dernier, adressée à Louise G... dans laquelle il s'écriait: «Vous êtes une mère indigne. Qu'avez-vous fait de l'enfant que vous m'avez dit avoir mis à la campagne?». Et plus loin, écrit Sim, cette accusation plus précise: «Si vous faites de l'enfant que vous allez avoir comme du premier, vous rendrez compte de tous vos crimes au Parquet». Il ajoute: «Est-il besoin de dire que M. Mélotte, juge d'instruction, s'empressa de convoquer cet intéressant correspondant à son cabinet? Après avoir essayé de tergiverser, le veuf volage, se décida à parler».

Toute l'affaire est alors dévoilée: déjà en 1916, Louise G... avait tué un enfant. «Un jour, il aperçut le bébé noyé dans un seau d'eau. Par après, la mère indigne brûla dans la cuisinière les restes du pauvre petit être». Le percepteur «affirme qu'il n'était pas complice et qu'il n'avait rien su du crime avant son exécution». Avec un témoignage «aussi écrasant, Louise G... ne chercha plus à garder le silence. Cyniquement, elle donna des détails sur son premier crime: la noyade, puis l'incinération». L'aveu est alors complet: elle reconnut «ensuite que, quinze jours avant l'arrivée de la police, elle avait eu un enfant qu'elle avait tué, puis brûlé au poêle de la cuisinière». Sim enchaîne: «Ainsi donc, l'épilogue est proche. Dans quelques jours, Louise G... sera conduite à la prison Saint-Léonard. L'enquête ne s'en continue pas moins, car on ne sait pas encore exactement combien la dame du quai de Maerstricht a brûlé d'enfants. Deux crimes sont avoués. Combien en découvrira-t-on encore?».

Sim sait déjà reconnaître et honorer les qualités d'un juge d'instruction. À la fin de ce premier article, il n'hésite pas à donner un grand coup de chapeau à celui qui a mené ce dossier: «Quoi qu'il en soit, il convient de féliciter M. Mélotte, qui conduit l'instruction de cette affaire avec une réelle maîtrise, et à tous ceux qui, durant quinze jours, s'en sont occupés sans que rien n'en transpire!».

Enfin, les dernières lignes sont consacrées au quartier même de la criminelle: «En attendant, l'affaire fait grand bruit au quai de Maestricht où les voisins de la mère monstrueuse en attendent impatiemment les conclusions aux assises».

Onze jours plus tard, l'affaire rebondit et prend une ampleur supplémentaire. Sous le titre "La Mystérieuse Maison du quai de Maestricht reçoit la visite des cambrioleurs", Sim dresse le 15 septembre un état des lieux extrêmement détaillé de la maison de Louise G... qu'il ne peut qu'avoir visitée. Il constate: «Dans la seconde pièce, le secrétaire et le coffre-fort, non ouverts. Cependant, on avait fait tomber la plaque d'acier qui recouvre les boutons du «secret», ce qui laisse présumer que les nocturnes visiteurs ont tâché d'ouvrir le meuble. Sur le secrétaire, pas la moindre trace d'infraction». Sim s'ingénie même à reconstituer la scène entière: «Il s'attaquent au soupirail et s'introduisent dans la maison par la cave. À la lueur de la bougie, trouvée dans l'escalier, ils visitent la maison, et, levant légèrement le volet, sortent par la fenêtre du rez-de-chaussée». Quel est le mobile de cette visite? Sim avance deux hypothèses. «Il y a tout d'abord l'hypothèse d'un complice ou d'un ancien ami de l'accusée, cherchant à faire disparaître des objets compromettants». Avec prudence, Sim repousse cette première hypothèse: «Il semble cependant que cette tentative serait quelque peu tardive – il y a plusieurs jours que la maison est sous surveillance. De plus, le secrétaire aurait vraisemblablement été, en ce cas, visité dès l'abord. Or, il n'a pas été ouvert». Seconde hypothèse: «Reste celle d'une visite de simples cambrioleurs. C'est la plus probable». Circonspect, Sim précise: «Ce n'est évidemment là encore qu'une simple hypothèse. L'enquête à laquelle va se livrer le Parquet nous apprendra le fin mot de cette affaire».

Troisième et dernier article: le 17 septembre 1920. Sous le titre général "L'Affaire du quai de Maestricht", il articule les points forts de son papier sous forme de sous-titres clairs et précis: "Louise G... chez elle – Vox Populi – Les scellés – À la Prison". Il s'agissait d'une visite domiciliaire, couplée à la reconstitution des faits. «La nouvelle de cette petite balade, écrit Sim, s'étant ébruitée on ne sait comment, une centaine de personnes, parmi lesquelles une grande majorité de femmes des environs, stationnait vers 2 heures en face de la prison». Bientôt, «la détenue fit son apparition et monta dans une automobile fermée». Sim en profite pour décrire l'accusée: «Vêtue d'un petit costume tailleur de couleur sombre, elle était très pâle, affectant de ne pas sourciller aux cris de la foule: «À mort!» qui s'accompagnaient de vocables plus expressifs encore». Nouveau trait de plume saluant l'habilité de M. Mélotte: «Le juge d'instruction, comme bien on pense, profita de cette visite pour faire subir un nouvel interrogatoire à Louise G..., visant surtout au meurtre d'un troisième enfant». Mais, celle-ci resta «impassible, et, pas plus que les autres fois, ne consentit à s'expliquer quant à ce nouveau crime qu'on lui impute». À la sortie de la maison, «la foule toujours plus dense redoubla de cris et de menaces, escortant toujours la mère indigne». Cette dernière est ramenée à la prison Saint-Léonard: «Comme on craint toujours une tentative de suicide de sa part, deux condamnées de droit commun sont toujours avec elle dans sa cellule». Et d'ajouter sur son état: «Louise G... est calme, parlant peu, et jamais des faits à sa charge. Elle se couvre d'un masque de morne indifférence. Elle paraît cependant ne plus se faire des illusions quant à son sort futur». Au-dessous des trois petites étoiles qui marquent la fin de son article, Sim glisse ces quatre lignes: «On n'a encore aucun indice concernant les cambrioleurs. Confirmant notre thèse, le Parquet et la Police croient à un vol pur et simple, sans aucune corrélation avec les crimes précédents». Le reporter Sim ne manque décidément pas de flair!

Où Sim rend hommage au juge d'instruction Coméliau...

Coméliau, juge d'instruction à Paris, un personnage-clé de dix-huit romans de Georges Simenon, parmi lesquels quatorze Maigret, est aussi juge d'instruction... à Liège, au temps du "petit Sim" à la Gazette! Le turbulent reporter frayait déjà à cette époque avec les milieux judiciaires. Comment se sont-ils connus? Par le biais d'enquêtes judiciaires sur le terrain. Une preuve indéniable nous en est donnée par l'article de Georges Sim, publié le 13 septembre 1921. Cet article paraît à la une de la Gazette sous les titre et sous-titre: "Un juge d'instruction cambriolé - La maison de M. Palmers est mise à sac".

Sim relate les points-phare de son enquête par des sous-titres accrocheurs: "Une maison sens-dessus, sens-dessous", "Les carreaux brisés", "Des pièces à conviction"," Le coffre-fort a résisté", etc.

Mais, surtout, fait important, il écrit: «C'est M. le juge d'instruction Coméliau qui est chargé de l'enquête relative à ce vol dont a été victime son collègue». Et d'ajouter, sur une note très personnelle: «Espérons qu'il ne manquera pas, avec son flair coutumier, de mettre la main sur les audacieux auteurs de ce cambriolage».

Ça n'empêche pas Monsieur le Coq dans son Poulailler du même jour d'être très ironique à l'égard de la magistrature. Bien que le début de son billet se montre tout d'abord fort grave : «Les journaux annoncent froidement qu'un juge d'instruction vient d'être cambriolé. Horrible signe des temps. Le respect s'en va, comme disait l'autre, le respect des choses les plus sacrées. On cambriole la maison d'un juge d'instruction tout comme l'humble masure d'un nouveau riche, d'un gros bijoutier ou d'un pauvre agent de change». Il change ensuite de ton à 180 degrés : «Signe des temps, en effet, et bien lamentable. Car, en somme, quelle confiance avoir encore en une justice qui se laisse cambrioler! Comment se croire en sécurité derrière des volets mécaniques, alors que demain, peut-être, des malfaiteurs audacieux s'introduiront avec escalade et effraction dans les salles mêmes de la Cour d'assises». Monsieur le Coq conclut par un trait d'imagination : «Et qui sait si nos agents de police ne seront pas victimes de vols à la tire, d'agressions nocturnes, eux qui n'ont pas de glaive, pas de balance, pas même un revolver de 6mm». La réalité dépasse la fiction : à peine quatre jours plus tard, ces dernières lignes trouveront un écho saisissant à travers un fait divers plus vrai que nature! Sim rapporte en effet que des voleurs ont cette fois opéré chez un... policier! Son article s'intitule : "Après le juge d'instruction – Un policier liégeois reçoit la visite des escarpes". Dans le billet du même jour, il reconnaît, le sourire en coin : «La corporation des cambrioleurs est soucieuse de l'ordre hiérarchique. C'est un fait indubitable qui vient de nous être prouvé au cours de ces derniers jours. Après avoir vu le résultat magnifique que certains de leurs confrères ont obtenu en opérant une descente dans les appartements d'un de nos plus sympathiques juges d'instruction, des escarpes ont voulu à leur tour se distinguer en cambriolant la demeure d'un agent de police».

Où Sim mène «un brin d'enquête personnelle»

Un double crime survient, au tout début de septembre 1922, dans l'armée belge d'occupation, à Obercassel, près de Düsseldorf. Sans attendre, Georges Sim se rend immédiatement sur place. «J'y arrivai la nuit, le nouvelle du meurtre n'avait été connue à Liège que vers 3 heures de l'après-midi». Dans les trois articles qu'il écrivit à son retour, il convient avant tout de mettre en lumière la méthode d'investigation qu'il pratiqua pour tenter de trancher le nœud gordien de cette histoire criminelle très embrouillée.

Dans son premier article, paru le 5 septembre 1922, Sim tient d'abord à préciser qu'il a rencontré bien des difficultés à envoyer ses informations d'Allemagne: «Au cours des deux communications téléphoniques, obtenues à grand peine, et après trois heures d'attente, je n'ai pu donner que les renseignements essentiels sur le drame d'Obercassel».

Lui qui s'est donné la peine d'aller sur place tient ensuite à mettre d'emblée les points sur les i: «À mon retour, ce n'est pas sans un profond étonnement que j'ai lu les journaux belges, ceux de Bruxelles comme les journaux de province, qui tous donnent des relations très inexactes ou incomplètes des événements». Il n'épargne en rien ses confrères belges: «Non seulement deux ou trois versions différentes courent les salles de rédaction, mais encore, les renseignements les plus essentiels font entièrement défaut». Les lecteurs sont prévenus: Sim va leur livrer, au contraire de tous les autres, de l'information de toute première main, puisée à la source même des événements. N'écrira-t-il pas dans son billet d'humeur Causons... du 14 septembre: «Sait-on que durant les trois jours qui suivirent le drame, aucun journaliste belge ne fut aperçu à Obercassel, à Crefeld ou à Neuss! Aucun... sauf un, car j'y étais seul, au grand étonnement de la Sûreté militaire et des autorités».

Dans ce premier article, Sim se met non seulement en scène, mais aussi en vedette. Par le reportage qu'il a réalisé sur le terrain, il s'arroge le droit de corriger les erreurs et les fautes commises par l'ensemble de la presse belge. Il y conte et raconte à la première personne le récit de sa visite à Obercassel, tout en insérant les conversations qu'il a nouées avec divers témoins. C'est un article au ton extrêmement vivant, nerveux et accrocheur, dont le sous-titre en dit long: *Impressions, portraits et... réalités*. Lisons plutôt: «À ma descente du tram, quelqu'un m'arrête.

– Halte! Vous savez que l'on ne peut circuler dans la ville après 8 heures du soir! ...

Je me hâte de décliner mon identité au gradé qui m'interpelle de la sorte.

Le "petit Sim" est un liseur
infatigable. Il lit deux ou trois
vres par jour. (Album de famille
- Fonds Georges Simenon).

la veille de l'Armistice de
ovembre 1918, voici le gamin
menon (à l'extrême gauche)
vec des prisonniers russes libé-
s. Quelles allures d'homme!
ans deux petits mois, il fera une
trée tapageuse à la *Gazette de
iége*. (Album de famille - Fonds
eorges Simenon).

Gazette de Liég
ET
Nouvelles du Jou

JOURNAUX QUOTIDIENS
D'INFORMATIONS & D'ANNONCES

LE PLUS FORT TIRAGE DE LA WALLON

La famille Demarte
fonda la *Gazette de Lié*
en 1840. Des plaqu
murales annonçaient d
1870 la sortie d'un journ
populaire: les *Nouvell*
du Jour. (Photo Plancha
Collection de l'auteur

En septembre 1918, le
collégien Simenon n'ira
plus à l'école. C'est sur l
tas qu'il apprendra le
métier de reporter. Il
suivra les traces de son
modèle Rouletabille.
(Album de famille - Fon
Georges Simenon).

La Place Verte à Liège au début du siècle. Sur la droite, le *Grand Bazar*. Dans son tout premier article, Simenon avait écrit le nom de magasin avec un «d» comme dans hasard. (Photo Musée de la Vie Wallonne, Liège).

L'homme qui fut un des rares patrons de Simenon: Joseph Demarteau III, directeur de la *Gazette de Liége*. Par sa prodigieuse indulgence, il sauva le "petit Sim" de la délinquance. (Photo famille Demarteau).

Le reporter Georges Sim passait sa vie dans les rues et les cafés de Liège. Il adorait tant les
marchés publics qu'il inventa même un personnage qui, comme lui, errait par la ville. Il

tula ce roman (1921 - inédit): *Jehan Pinaguet, histoire d'un homme simple*. Simenon
rrira toute sa vie une passion pour les marchés publics. (Photo 1925 - Musée de la Vie
llonne, Liège).

La Caque en 1919 à Liège. Grâce à son confrère Moers de *La Meuse,* Georges Sim allait
bientôt entrer dans les rangs de cette bohème liégeoise. De g. à dr. et de h. en b.: Miche[l]
Morsa, peintre; Ernest Bonvoisin, écrivain; Jean Lebeau, peintre; Marcel Lempereur-Hau[t],
graveur; Constant Caron, décorateur; Auguste Mambour, peintre; Joseph Jean Kleine,
décorateur et cocaïnomane (le pendu de Saint-Pholien); Remy Veckman, décorateur;
Léopold Bétet, pianiste; Albert Nuez, philosophe; Charles Bury, dessinateur; Joseph
Bonvoisin, graveur et peintre. (Photo André Maréchal - Collection Charles Bury, Liège)

L'Hôtel de Suède, aujourd'hui disparu, accueillait les personnalités étrangères. C'est là que le reporter Georges Sim interviewa, entre autres, Poincaré qui le reçut en tenue de chambre. (Photo Musée de la Vie Wallonne, Liège).

C'est dans le grenier de ce bâtiment que *La Caque* se réunissait à Outremeuse, au numéro 13 de la rue des Écoliers. Les jeunes lapins s'y éclairaient à la lampe à pétrole. (Photo Musée de la Vie Wallonne, Liège).

La rue de l'Official e
1955. C'est l'habitation
trois étages située à gauch
de la Maison Moreau qu
abritait la direction et l
rédaction de la *Gazette d
Liége*. Cette rue n'exist
plus aujourd'hui. (Phot
Musée de la Vie Wallonne
Liège)

Le 15 décembre 1922,
Georges Sim quitte Liège
pour Paris. Son "patron"
s'écrie en rentrant chez lui
«Sim monte à Paris; il va y
manger de la vache enra-
gée». (Photo Album de
famille - Fonds Georges
Simenon).

Sim demande alors:

– Pourrais-je aller cette nuit à la caserne?

– Mais oui!, lui répond le gradé, c'est à droite, suivez le Rhin».

Les journaux belges n'ont même pas pu définir ce qu'était précisément Obercassel. Sim relève cette faute: «Obercassel n'appartient pas, comme d'aucuns l'ont écrit, à une région industrielle». Ensuite, il se livre à une description haute en couleurs de la ville, au moyen d'images drôles et fantaisistes. Jugeons sur pièce:«Obercassel est la production et le milieu adéquat de bourgeois bouffis d'orgueil et avides de *Kolossal*. Ici, ils ont fait du Kolossal en petit. Une avenue, large à y faire passer la ville tout entière; des maisons à deux étages, qui, parce qu'elles sont en béton, prennent de faux airs de château! Représentez-vous des blocs de béton, affectant les formes les plus hétéroclites; ou, mieux, imaginez-vous une maison, faisant des grimaces devant les miroirs déformant des champs de foire. Et dans toutes ces caricatures de maisons, mettez-y des petits bourgeois, des fonctionnaires ventripotents, la crème conservatrice allemande. Maintenant, vous avez une idée assez juste d'Obercassel et de sa faune. Quant aux mœurs des habitants, elles sont le plus généralement paisibles. Quelques hommes se réunissent dans les deux ou trois cafés de la ville. D'autres reviennent en auto de Düsseldorf à la fin de la soirée. Bref, des gens «pèpères», comme disaient les poilus».

Arrivé à Obercassel dans la nuit, Sim se lance sans tarder dans la bagarre. Il n'attend pas le lendemain. Il se rend d'abord à la caserne. En cours de route, au bord du Rhin: «J'entends devant moi un pas pressé, puis un «Halte!» impératif. J'aperçois un soldat qui s'avance, la baïonnette au canon, dans la position de l'assaut. Un autre soldat apparaît à dix mètres de lui; un autre encore. Je suis entouré par six soldats qui me crient:

– Haut les mains!

Ils s'approchent. J'exhibe mes passeports. Je parle au chef de poste». Par la suite, il doit bien constater qu'«à la caserne, on ne connaît presque rien du meurtre».

Après ces premiers contacts, il prend pleinement conscience des difficultés à obtenir des informations sûres et recoupées: «L'enquête est menée à la fois par les brigades de Sûreté d'Obercassel, de Crefeld et de Neuss, ce qui complique la tâche du journaliste, d'autant plus que le mot d'ordre est la discrétion».

Il se rend ensuite au café où le drame est survenu. «Ce café est fréquenté par les notables de l'endroit. Et aussi, de par sa situation même, par les militaires. À ce moment, tout y est endormi». Un peu plus loin, Sim rencontre un agent de la Sûreté militaire qui fait sa ronde:«Il me donne quelques indications, fort décousues». Dans cette affaire fort emmêlée, Sim prend un ton qui rappelle Maigret: «Au petit jour, une auto me dépose à Crefeld, où je commence un brin d'enquête personnelle». Les clients qui se trouvaient dans le café au moment du drame sont en prison. «Il y a une vingtaine de détenus à la prison. Mais, contrairement à ce que je lus par après dans certains journaux belges, ils ne sont pas tous soupçonnés». Et Sim de commenter: «Le système a du bon: arrêter et «cuisiner» séparément tous les témoins de l'affaire, tous ceux qui en connaissent une petite partie». Plus tard, Maigret ne pratiquera-t-il pas cette même méthode? Sim répète: «Car l'instruction d'une pareille affaire est très complexe». Rien n'arrête cependant le reporter Sim qui lance un clin d'œil au lecteur d'aujourd'hui: «Sans vouloir faire tort aux romans policiers, tâchons de démêler l'histoire du meurtre. Les faits d'abord».

Mais le plus grave problème de l'Allemagne à cette époque – sur lequel Sim projette tous les feux de ses propos – dépasse de loin ce double crime. Son second article, daté du 6 septembre 1922, rend compte des germes, des prémisses mêmes de la Seconde Guerre mondiale. Cette enquête lui permet de prendre la température politico-militaire de l'Allemagne, quatre ans après l'armistice. Il fait état de l'agitation qui secoue l'armée d'occupation. Dans les faits, constate Sim, «les Allemands souffrent d'une occupation qui se prolonge trop à leur gré». C'est pourquoi, «les Allemands sont provocants autant qu'on peut l'être... et les provoqués doivent restés impassibles. La moindre plainte déposée par un Allemand entraîne des rappels à l'ordre. Bref, les Belges ont là-bas pieds et poings liés». Ces derniers ont donc lancé une «campagne pour protester contre les plus révoltantes parmi les tolérances accordées aux Allemands». Un simple exemple: «Sait-on que tout dernièrement un général allemand en tenue, la poitrine ornée de toutes ses décorations, a passé en revue, à Neuss, en territoire occupé, toute une troupe de jeunes prus-

siens? Sait-on que cette troupe traînait avec elle des canons de bois et toute une reproduction des appareils de guerre?». Georges Sim conclut, après avoir fait écho aux desiderata des Belges de là-bas: «Continuera-t-on à laisser faire? C'est ce que l'on se demande à l'armée d'occupation, où le mécontentement est général».
Reporter à la Gazette, Sim prend plaisir à rôder et flâner aux alentours du Palais de Justice de Liège; il est à l'affût de la «grosse affaire». Il y pousse, comme il dira plus tard, «au petit bonheur» les portes des salles d'audience. Parfois il tombe sur une pathétique audience de cour d'assises; d'autres fois dans un tribunal de simple police.

Dans ses persiflages, Monsieur le Coq n'épargne pas la justice. Il écrit, merveilleusement ironique: «Les tribunaux sont à la portée de tous; chaque jour, la foule se presse nombreuse dans les salles d'audience du palais de justice». Une idée fantaisiste lui vient à l'esprit: «Dès lors, pourquoi ne pas percevoir un droit d'entrée proportionné à l'intérêt du programme de la journée». Il propose: «Par exemple, pour la Correctionnelle qui constitue en quelque sorte le Vaudeville de l'endroit, on pourrait fixer les entrées à 2 francs, 1 franc avec réduction de 50 p.c. pour les militaires et les enfants... La «simple police» serait moins exigeante, tandis que la «Cour d'assises», sorte d'Ambigu ou de «Porte-St-Martin», se recommanderait spécialement à un public select et amateur d'émotions fortes».

Où Sim suit les Assises: l'Affaire «Douhaaaaard»....

L'Affaire Douhard qui débute aux Assises de Liège en avril-mai 1921 constituera le procès-clé de la collaboration durant la Grande Guerre dans la région de Liège. Durant toute la guerre, le dénommé Douhard a participé tant aux arrestations qu'aux condamnations et aux exécutions sommaires de centaines de résistants belges. Autant dire que le dossier d'instruction est fort épais, comme le souligne d'emblée Monsieur le Coq: «On sait que, de mémoire de juge d'instruction, il y eut rarement affaire aussi complexe, aussi touffue. Non seulement l'affaire embrasse quatre années entières, mais encore, il y a des centaines de personnes mêlées de près ou de loin à cette histoire fantastique autant qu'écœurante» [10].

L'AFFAIRE DOUHARD

Croquis d'Audience

Les journalistes sont ici comme ils sont partout, c'est-à-dire, comme chez eux. Comme ils arrivent toujours les uns après les autres, et aux heures les plus diverses, ils font grand remue-ménage.

Délibérément, ils entrent par l'entrée des avocats, adressent un salut amical au gendarme, parcourent des yeux les rangs du public, serrent des mains de Chers Maîtres, et arrivent au banc de la Presse. Là, tournant le dos au prétoire, ils distribuent des poignées de mains aux confrères, prennent des nouvelles, puis, enfin, se débarrassent de leur canne et chapeau qu'ils déposent sur l'appui de fenêtre-vestiaire.

A l'ombre du banc de la partie civile, ils forment un petit cercle privé, qui vit là, tout à fait à l'aise. On taille des crayons et des bavettes, on mange du chocolat, on raconte des petites histoires, pour s'enfiévrer tout à coup et, gratter fiévreusement le papier, bien en chœur, si les débats prennent une tournure intéressante. Après, on recommence à faire la causette ; quelqu'un distille à jet continu des calembours et des « à peu près », qui font parfois rire les voisins. Si le prétoire n'entend que des dépositions sans intérêt, Messieurs les journalistes déplient leur quotidien, s'enfoncent en de longues lectures, se passent les feuilles les uns aux autres...

Moins respectueux de la solennelle ambiance que les jurés, ils n'ont pas attendu, pour étancher la soif qui les dévore, qu'un arrêté-loi mit des carafes ou du Bourgogne à leur disposition. A la suspension d'audience, quelqu'un d'entre eux s'en va au café proche, et revient chargé de sodas et de limonades.

Lors, entre deux lignes griffonnées, les journalistes, se baissant un peu, boivent à même la bouteille, au nez et à la barbe du Président qui voudrait bien rire. Toutes ces bouteilles s'alignent sur l'appui de fenêtre avec les chapeaux, les cannes, les serviettes, les papiers de chocolat. Un vrai débarras, cet appui de fenêtre ! Et la table de la Presse semble un oasis familier et accueillant, au milieu de toute la pompe du Temple de Thémis.

                                        SIM.

Extrait de la «Gazette de Liége» du 7 juin 1921.

Séance après séance, jusqu'à la mi-juin, Georges Sim suit le procès au Palais de Justice de Liège. Il réalisa ainsi treize *Croquis d'audience;* nous en avons retrouvé sept qui s'échelonnent du 2 mai au 8 juin 1921. Il projettera sur les principaux acteurs de la Cour d'assises une lumière toute faite d'ironie et de verve mordante; personne n'échappera à ses coups de plume acerbes: ni le président de la Cour, ni les habitués avides de sensations fortes, ni l'accusé, ni les avocats, ni les membres du jury, pas même les journalistes! De plus, il alimentera son «Poulailler» de ses observations satiriques et piquantes.

Voici comment il dépeint le président de la Cour: «Il est féroce, ce Président, c'est-à-dire qu'il est très fort, puisque sa fonction consiste à être féroce. La moindre question, le moindre détail lui est occasion de faire montre d'un beau talent de diplomate.

– Voyoooooons, Douhaaaaard, dites-nooooous...

Et l'on peut être sûr que c'est un piège, un trébuchet qu'il lui tend de la sorte. Il a cependant l'air assez bon enfant. Parfois, il traite une question comme si elle ne présentait aucun intérêt, par acquis de conscience, dirait-on. Et l'autre s'y laisse prendre. Et, quand il a répondu, on comprend tout à coup qu'il s'agissait d'un point essentiellement grave». Dans la même foulée, Sim souligne les qualités de synthèse du juge d'instruction qui «est de force à rouler Douhard et à se dépêtrer de l'enchevêtrement des déclarations complexes et inextricables de celui-ci. Grand, raide, colossal presque dans sa classique redingote, il a déposé durant plusieurs heures d'une voix qui s'égaie d'un léger zézaiement. Calmement, placidement, il a exposé tout le procès de telle sorte que les trente affaires compliquées dont il se compose se sont simplifiées»[11]. Sim se plaît aussi à observer ce qu'il nomme les «clients professionnels» des Assises: «Ces clients-là connaissent les dessous de toutes les affaires, et ils en discutent avec une chaleur qui ranimerait bien des plaidoiries neurasthéniques(...). Ils «savourent» les audiences comme on se délecte d'une pièce de théâtre»[12]. Et l'accusé Douhard? «Ses mains, qu'il a eu le temps de soigner, sont belles et blanches et, ma foi, il a un bedon d'épicier. (...) Très à l'aise dans cette salle plutôt sinistre, il répond aux questions, ergote, discute, tout comme s'il s'agissait d'une conversation au coin du feu[13]. Quant à l'avocat d'office, il «passe de longues heures à bâiller avec grâce, à écrire nonchalamment, ou à contempler le double rang des jurés avec le regard profond des bœufs regardant passer un train»[14]. De leur côté, les jurés «ont soif, horriblement soif, et plus d'un lance de criminels regards vers le Président qui jouit avec un superbe égoïsme d'une carafe d'eau idéalement fraîche»[15].

En attendant la condamnation de Douhard, Georges Sim propose dans le coin de son Poulailler d'organiser un «grand concours entre toutes les firmes nationales qui fabriquent de l'insecticide. Chacune à son tour aurait à expérimenter son produit sur le Douhard en question. Il est évident que la poudre qui l'extermineraît serait proclamée l'insecticide par excellence: Premier prix à l'unanimité du jury (de la Cour d'Assises). Avec le système que je préconise, il servirait encore à quelque chose». Une ombre au tableau: «Ce sera certainement une firme allemande camouflée qui parviendra à occire le boche Douhard!»[16].

Le 14 juin, la Gazette révèle le verdict: Douhard est condamné à la peine de mort. «Douhard n'a pas bronché selon son habitude. On applaudit vivement dans la salle».

1. «Un oiseau pour le chat», 1978, p.25.
2. «Hors du Poulailler» des 22-23 août 1920.
3. «Portrait Souvenir», 1963, p.87.
4. «Hors du Poulailler» du 24 décembre 1920.
5. «Hors du Poulailler» du 29 septembre 1920.
6. «Hors du Poulailler» du 20 octobre 1921.
7. «Hors du Poulailler» des 29-30 août 1920.
8. «Hors du Poulailler» du 18 mai 1922.
9. «Hors du Poulailler» du 14 mai 1921.
10. «Hors du Poulailler» du 3 juin 1921.
11. «Croquis d'Audience» du 2 mai 1921
12. «Croquis d'Audience» du 9 mai 1921.
13. «Croquis d'Audience» du 1er juin 1921.
14. «Croquis d'Audience» du 3 juin 1921.
15. «Croquis d'Audience» du 4 juin 1921.
16. «Hors du Poulailler» du 15 juin 1921.

de GERADON

Député clérical

Extrait de la revue «Nanesse», N° 34, 16-7 au 22-7 1921, page 1.

XI

LES PREMIERS REPORTAGES DE GEORGES SIM

Sim lance le «candidat des pêcheurs à la ligne»

Avant de se plonger dans le chapitre au cours duquel nous parlerons des premiers pas de Georges Sim dans le monde du marketing politique, il convient de mettre tout particulièrement en vedette un fait étonnant et pourtant bien réel. À l'époque de la Gazette, Sim reçut de la part du quotidien La Wallonie socialiste des propositions alléchantes pour faire carrière en politique. «Isidore Delvigne, directeur-rédacteur en chef de La Wallonie socialiste m'a proposé un jour d'entrer à La Wallonie, non seulement comme rédacteur, mais avec la promesse, à vingt et un ans, d'être inscrit parmi les candidats aux élections, communales ou provinciales d'abord, législatives ensuite. C'était le pactole et l'avenir assuré. À cette époque, en effet, les partis de gauche, en Belgique, avaient peu d'éléments instruits, manquaient de cadres, comme on dit aujourd'hui, et je me souviens de candidats, et même d'élus, qui savaient à peine lire et écrire.

Politique? Littérature? Ai-je vraiment hésité? J'ai été tenté, en tout cas. L'idée de manier les foules, de leur parler de la tribune, d'organiser ces cortèges impressionnants, de me battre pour une cause... À la Gazette, comme toujours, de tous les journalistes liégeois, nous étions les plus mal payés. J'ai dit non. Sans regret, j'en suis persuadé. Je suis resté à la pieuse Gazette jusqu'à mon service militaire»[1].

Il lui arrivait «très souvent», comme nous l'a précisé Georges Simenon par lettre, d'être envoyé à la veille des scrutins électoraux aux meetings politiques. C'est ainsi que le "petit Sim" rendit compte des discours des candidats catholiques liégeois – sous l'intitulé «Nos Candidats», à la une de la Gazette – dans des articles, souligne-t-il, «non signés». Certains de ces articles sont signés *Kim*. Nous nous étions demandés s'il ne s'agissait pas d'un autre pseudonyme choisi par Georges Sim? «Non, nous a déclaré Simenon, je crois que c'était un pseudonyme collectif». Toujours est-il que Kim sera un des multiples pseudonymes de Simenon à Paris.

Tout jeune, Sim fut confronté et mêlé au monde de la politique. Par lettre, il nous précisa en juillet 1984 qu'il suivait «alternativement» le Conseil communal de Liège. À l'occasion, Sim peut se montrer sévère à l'égard des élus: «La séance fut naturellement «pèpère», comme disent les poilus, en d'autres termes, elle fut bourgeoise, terre à terre, sans éclat et sans faste. Monsieur Hénault vota pour lui, ce qui est le plus sûr moyen de récolter au moins une voix! Et les braves qui se tassaient, s'écrasaient, se compressaient n'eurent que cette occasion de sourire»[2].

«J'ai pu connaître la cuisine politique sur le plan communal», dira-t-il plus tard. Et à propos de la préparation des mets, il vécut même une expérience tout à fait unique: il se mit à définir lui-même la plate-forme électorale d'un candidat aux élections législatives. Il s'agissait alors des toutes premières élections législatives d'après-guerre en Belgique; elles étaient fixées au 16 novembre 1919.

Le candidat en question n'était autre qu'un administrateur de la Gazette de Liège, M. Jules de Géradon. Né à Liège en 1869, docteur en droit, ce dernier était en outre président de la corporation des Métiers et Négoces.

C'est le 14 octobre 1919 à la une de la Gazette qu'il se présente au public pour la toute première fois, dans la rubrique électorale «Nos Candidats». À cette époque, la Gazette était très intimement liée au parti catholique dont elle défendait ouvertement la liste aux élections. On peut notamment lire dans ce papier électoraliste: «M. Jules de Géradon figurera troisième sur notre liste. Il n'est pas dans nos rangs de personnalité plus aimable. À une connaissance profonde des affaires, à un dévouement sans borne aux œuvres sociales, il joint ce charme de bonhomie, si apprécié au pays mosan».

Sur la liste catholique, le précèdent MM. Paul Berryer, ministre d'État, sénateur sortant à Liège, et Paul Tschoffen, avocat à la Cour d'appel de Liège, qui se présentent aussi pour la Chambre des Représentants.

À la une de la Gazette du 13 novembre, le profil électoral de M. de Géradon est déjà quelque peu plus affiné, quoique encore assez vague. Avec photographie et biographie, la Gazette affirme qu'elle «défendra plus spécialement au Parlement les légitimes aspirations de ceux que l'on a trop oubliés, les petits bourgeois, employés, tous ces membres des classes moyennes, qui nous ont donné l'exemple de vertus de patience et d'énergie, et dont le sort lui est particulièrement cher». Ce créneau, bien sûr, est encore trop vaste et trop imprécis. Il faut de toute urgence pour le candidat de Géradon une assise populaire, une base plus pointue, un électorat très ciblé. C'est ici qu'intervient notre reporter Sim qui va, de manière directe, participer – à 16 ans et demi – aux manœuvres politiques. Son patron lui expose le gros problème auquel il est confronté: «Le journal était financé en grande partie par ce nobliau de province fort riche, qui possédait un château, précisa plus tard Simenon, ce monsieur, qui ne savait pas s'exprimer en public et encore moins écrire, voulait se présenter comme député»[3]. Sim le connaissait de vue: il passait parfois dans la rédaction. C'étaient des moments de fou rire, car il était «d'une bêtise totale»[4], devait noter plus tard Simenon.

«Parfait, dit Sim à son patron, je vais examiner le problème et je vous rendrai réponse demain».

Que fit-il alors? Il se rendit à l'Hôtel de Ville et demanda au secrétaire communal quelle était l'association populaire comportant le plus grand nombre d'adhérents. Celui-ci lui répond: les pêcheurs à la ligne. Le "petit Sim" s'écria alors: «Très bien, il sera le député des pêcheurs à la ligne». Or, à l'époque, c'était une plate-forme électorale qui avait toute sa raison d'être: les pêcheurs se plaignaient déjà de la pollution des eaux, des règlements trop stricts, etc.

Simenon affirma plus tard, à travers l'évocation de ses souvenirs, qu'il avait écrit «toute une série d'articles signés du nom du candidat» sur les problèmes des pêcheurs à la ligne. Dans la réalité, il n'en est rien. Un seul article fait la publicité de M. de Géradon en tant que candidat des pêcheurs à la ligne. Sim relate, dans un article intitulé "Aux Pêcheurs – Ce que nous dit un de nos candidats", sa rencontre-surprise avec M. de Géradon sur les bords de la Meuse. Cet article paraît à la une de la Gazette du 6 novembre 1919; il n'est pas signé. S'il ne s'agit pas d'une "série", mais bien d'un seul et unique article, il n'en demeure pas moins vrai que M. de Géradon fut élu à la Chambre. Il devint ensuite en 1922 le président du Conseil d'administration de la Gazette de Liége, remplaçant M. Jules Dallemagne.

À la veille d'un scrutin, inutile de souligner l'impact considérable que peut produire un seul article, bien pensé et bien ciblé, surtout dans les rangs des indécis.

Dans son article, Sim fait croire aux lecteurs qu'il a forcé M. de Géradon à lui accorder cette interview, alors qu'il était placidement en train de pêcher.

«Tiens, mais c'est M. de Géradon!, m'écriais-je.

– Chut, me souffle-t-il, ne criez pas si fort, car l'on me demanderait un discours.

– Mais comment! Vous aussi êtes tourmenté de la noble passion de la pêche.

– Oui, un peu...».

Je pousse un cri de joie. Ma considération pour le candidat catholique augmente de plusieurs degrés». Sim réfléchit alors et explique au lecteur: «L'homme le plus doux de la terre devient intraitable lorsqu'il se trouve en tête à tête avec un flotteur».

Il s'ingénie donc «à la recherche d'un moyen d'amorcer... la conversation». Innocemment, il lui demande alors un asticot. «La glace était rompue. Restait à évoluer diplomatiquement. Je poussai un profond soupir.

– Ah! Quand je pense aux préjudices que cause la pêche au filet aux paisibles pêcheurs à la ligne... Et dire que le gouvernement continue à louer les rivières!». Sim ferre alors adroitement «son» candidat: «Je lançai un regard oblique à mon futur député... il me contemplait avec un sourire amusé. Je me grattais piteusement le nez. J'avais été trop vite en besogne. M. de Géradon attendait la suite de mon discours... je me taisais, embarrassé. Il me tira généreusement de ma position quelque peu fausse.

– Très bien, je vois où vous voulez en venir... (un soupir)... on n'est même plus tranquille au bord de l'eau».

Sim lance ensuite: «J'avais pitié du pauvre homme dont je troublais si intempestivement le paisible repos. Néanmoins je fus impitoyable». Il s'excuse cependant avant de poser les questions qui lui démangent la langue: «Excusez-moi, dis-je, mais on n'a pas tous les jours le bonheur d'avoir un candidat, amateur de pêche». C'est alors que M. de Géradon peut étaler sa culture piscicole et rendre compte de ses capacités: «M. de Géradon me prouva qu'il n'était pas indifférent à la question, en tirant de sa poche un carnet tout couvert de chiffres et de notes». Une partie de l'article est essentielle, celle consacrée à l'engagement formel et aux promesses électorales du candidat. Et Sim d'interroger:

«Les pêcheurs pourraient-ils compter sur vous pour défendre leurs intérêts?

Réponse claire et nette:

– Certainement. Pêcheur moi-même, je suis prêt à intervenir, efficacement, je l'espère.

– M'autorisez-vous à leur rapporter cette conversation et surtout votre promesse?

– À votre aise».

M. de Géradon s'emploie alors à rappeler les principaux points de son programme en matière de pêche. Le "petit Sim" boucle son article sur les mots: «Ce disant, M. de Géradon s'était animé et sa ligne cinglait l'espace. Ses coups de fouet dans l'eau avaient achevé d'apeurer le poisson. Le temps passa en cette conversation plus fructueuse que notre séance de pêche. Je pris congé de M. de Géradon, en lui promettant de l'accabler des doléances de ceux qui, comme moi, sont les disciples fervents de Marcatchou».

Plus de deux ans plus tard, dans son billet quotidien Causons... des 9 et 10 juillet 1922, Georges Sim exprimera auprès de ses lecteurs des idées savoureuses sur l'utilité publique de la pêche à la ligne: «Les établissements de vagabonds, les prisons, les maisons de réhabilitation devraient inscrire la pêche à la ligne dans leur programme. Au lieu de vingt ans de travaux forcés, durant lesquels le criminel s'endurcit encore l'âme, c'est vingt ans de pêche à la ligne, dans un canal tranquille, que le jury devrait prononcer». Sim s'amuse alors à définir, d'une touche toute personnelle, le pêcheur à la ligne: «Le pêcheur à la ligne est un homme dont toute la férocité, tous les mauvais instincts trouvent un débouché naturel autant que bénin, dans le fait d'enfiler des asticots et des vers de vase par le nez. Cela fait, voilà toutes ses humeurs belliqueuses dissipées. Il pourra demeurer des heures à regarder des vagues, toutes semblables, interminablement, ou le reflet de sa gaule sur l'eau glauque». Sim taquinera le sujet jusqu'à établir un tableau des vertus de cet être si particulier: «Le pêcheur à la ligne ne prononce pas de discours pour la raison simple que son industrie est essentiellement solitaire. Le pêcheur à la ligne est éminemment serviable. Qu'un voisin lui demande un ver ou un asticot, il choisira le plus gras pour lui en faire cadeau. Le pêcheur à la ligne n'est pas forcément utilitaire. Peu lui chaut de dépenser dix francs d'amorces et de lignes pour extraire de l'eau un petit poisson de cinq centimètres. Qu'importe le prix du petit poisson. Le plaisir n'est-il pas de le sentir frétiller à l'hameçon?». De plus, «le pêcheur à la ligne est bon pour les animaux: quand il voit passer des poissons, tués par les acides d'une usine, il sent la mélancolie et la pitié baigner son âme!». Ce vibrant panégyrique se termine par cette phrase: «Ah! Si chacun pêchait à la ligne!».

Un épisode aussi croustillant ne pouvait échapper aux griffes du journal *Nanesse*. Rappelons que Sim collabora à ce journal satirique dont il fut sans doute un des fondateurs. C'est seulement deux ans plus tard, dans les éditions des 16 et 22 juillet 1921, que Sim se permit de railler ce cher M. de Géradon. Il tire un bilan moqueur et drôle du mandat du député des pêcheurs à la ligne. Son article est illustré d'une caricature réalisée par le peintre liégeois Ernest Forgeur (1897-1961). Ce cher M. de Géradon, «quelques mois avant les dernières élections législatives, avait jusqu'alors égoïstement joui de sa particule, de ses rentes et de sa bedaine». Il se mit «alors en tête de mettre deux de ces choses, la première et la dernière, à la disposition de ses concitoyens. Quant à la deuxième, il caressa au contraire l'espoir de l'augmenter». Le ton persifleur ne fera, lui aussi, que s'élever et s'amplifier. Jugeons plutôt: «Or donc, M. Jules de Géradon annonça par la voix de l'humoristique et hilarante «Mazette de Liége», qu'il se portait désormais champion des Pêcheurs à la ligne devant le pays tout entier. Parodiant la phrase célèbre de son défunt rédacteur Caïus, Jules César, la «Mazette de Liége» affirma que, de tous les amis de la gaule, de Géradon était le plus brave. (...). Donc M. de Géradon fut élu député des Pêcheurs à la ligne. Une lourde charge lui incombe, de ce fait. Chaque fois, en effet, que les eaux de la Meuse sont polluées, il doit signaler à la Chambre cet épouvantable état de choses. Et l'on assure qu'à ce propos il fit de magnifiques discours.

Il intervint encore lors de la fameuse hausse sur les asticots et s'indigna de belle façon contre les mercantis qui n'hésitent pas à spéculer sur la nourriture des pauvres créatures du Seigneur que sont les poissons. Il s'occupa, mais sans succès, de la question du barrage des Grosses Battes. (...). En cette affaire, il se buta malheureusement au mauvais vouloir et à l'ignorance de la bureaucratie. (...). Enterrements, conférences, cérémonies officielles ou officieuses, congrès, réunions quelconques, sont rehaussés par la bedaine du député des Pêcheurs à la ligne. (...). En somme, un bonhomme pas méchant du tout, avec, à coup sûr, autant de cervelle qu'un hareng saur ou qu'un brochet frit».

Toujours sur le plan politique, Simenon se rappellera avoir assisté à la Gazette «à la naissance, en quelque sorte, de cette fameuse Démocratie chrétienne. Mon journal, la Gazette de Liége, était un des plus conservateurs du pays et chrétien par surcroît. C'était en 1919 ou 1920 que nous avons vu apparaître dans les bureaux de la rédaction un personnage mystérieux, à la démarche feutrée de sacristain. Il entrait sans rien dire, se contentant d'un petit salut de la tête qui ne s'adressait à personne en particulier, s'asseyait à l'énorme table commune et sortait de sa poche des journaux et des dossiers dactylographiés. Après une heure ou deux, il s'en allait sans avoir ouvert la bouche en nous gratifiant d'un petit salut discret. Il a fallu un certain temps pour que je découvre qu'il représentait l'avant-garde de la Démocratie chrétienne. C'est lui qui écrivait les longs articles plus ou moins confus que la Gazette de Liége publiait comme à son corps défendant» [5].

Sim «s'emm...» au banquet des «vieilles barbes»

À plusieurs reprises, le «patron» faillit mettre son «petit Sim» à la porte. L'épisode sans nul doute le plus célèbre est celui du «banquet des vieilles barbes». Sim venait d'arriver à la Gazette. M. Demarteau l'envoya pour la première fois à un banquet. Ce jour-là, il était inévitable de l'envoyer à un banquet, et ce, malgré son tout jeune âge: trois banquets étaient inscrits pour cette seule journée à l'agenda de la rédaction. Sim se rendit donc au banquet qui clôturait le congrès du Coq wallon tenu pour célébrer la mémoire des volontaires de 1830.

Dans le roman *L'âne rouge,* le romancier Simenon raconte: «M. Dehourceau, le directeur de la «Gazette de Nantes», l'avait envoyé pour la première fois à un banquet, celui qui clôturait le congrès de la chaussure»[6]. Ce banquet se tenait un dimanche, à l'Hôtel de l'Europe, aujourd'hui disparu. Sim n'avait pas de smoking. Il emprunta alors la jaquette de son oncle, qui, par surcroît, était trop étroite»[7].

Dans le roman *Les trois crimes de mes amis,* Simenon rapporte: «J'appartenais au journal le mieux pensant de la ville et j'étais le plus jeune des journalistes. Il me souvient encore que, pour le premier dîner officiel auquel j'assistai, j'empruntai, non pas un smoking que je jugeais vulgaire, mais une jaquette grise que je ne suis pas sûr de n'avoir pas accompagnée d'une cravate blanche et de gants beurre frais»[8].

À la table de la presse, deux de ses confrères, Théo Beaudhuin du Journal de Liège et De Blauwe de La Meuse, le font boire plus que raison. «Je devins rapidement gris et je me sentais capable d'accomplir les pires excentricités». C'est alors que l'un d'eux lui chuchote à l'oreille:

«On s'embête ici, tu ne trouves pas, avec ces vieilles barbes. Tu devrais leur dire...

Tout de go, Sim se lève et s'écrie:

– On s'embête ici, tas de vieilles barbes....»

Claquant la porte, Sim se retrouve dans la rue, une canne à la main. «Le cerveau en feu, suivi par De Blauwe qui se tordait de rire, je me dirigeai soudain vers le théâtre du Trianon, boulevard de la Sauvenière, qui donnait une revue». Il entre par la porte des artistes. Dans les loges, il se met à lutiner les danseuses. Il les poursuit même dans les couloirs en criant: «Je veux celle-là! Je veux celle-là!». Peu après, c'est la catastrophe: il fait irruption sur le plateau en pleine représentation, courant toujours après la jeune fille. Première semonce: «On me conduit chez le directeur, Spelman, qui me tance d'importance et me met à la porte». Où va-t-il ensuite faire tapage? À la Gazette même. Or, c'est un dimanche. Il y rencontre le concierge Boumal. Tout à coup, il devient malade. Comble de malchance, le patron arrive... «Il me voit dans cet état et fronce les sourcils». Et c'est l'éclat dans toute sa splendeur: «Je me mets à lui lancer à la tête les pires injures: Vous êtes un cochon. Vous croyez que je suis soûl, hein? Ben, vot' café, je n'en veux pas. Et je lui ai lancé le café à la figure... Vous êtes un faux-frère... un sépulchre blanchi... avec vot' barbe et vot' nez en fraise... vous n'en êtes pas moins comme les aut'...». Ces clameurs passées, Sim s'endort à la Gazette jusqu'à onze heures du soir. Il essaie ensuite de rentrer chez lui. Le lendemain, à six heures du matin, ce sont des voisins qui le ramassent sur leur seuil. Trois personnes le ramènent chez ses parents. C'est la honte dans la famille Simenon!

Tout penaud, Sim se rend dans la journée à la rédaction. Plus tard, il dira: «Je ne savais rien de ce qui s'était passé. J'avais complètement oublié, car c'était la première ivresse de ma vie». Dans «un état de grande crainte», il se présente à M. Demarteau qui lui dit:

«Mon petit Sim, vous comprenez ce que cela veut dire, ce qui s'est passé hier?

Il balbutie:

– Oui. Je suppose M. Demarteau que je suis mis à la porte. Mais puis-je vous demander une chose, de me raconter exactement ce qui s'est passé, car je n'en ai qu'un souvenir très vague. Je sais que je suis allé dans un théâtre, que j'ai traversé la scène en courant après une danseuse, que je suis venu ici et qu'on m'a fait boire du café. À part ça, rien. Alors, soyez gentil de me dire.

– Alors, l'hypocrite, l'immonde fraise au milieu de la figure, c'est moi?

Il répond:

– Oui.

– Donnez-moi votre démission.

– Ben, s'il le faut, il le faut.

Mais après cela, le patron lui lance:

– Bon, on va encore faire un essai, voulez-vous? On va encore essayer un mois, mais on ne vous enverra plus à des banquets, car vous êtes un peu jeune pour ça...»[9].

Sim s'étonne de l'indulgence inouïe du «patron»

Quand on se replonge dans les années de l'immédiate après-guerre, on ne peut qu'être extrêmement étonné – et tout à la fois ravi – de l'indulgence infinie dont fit preuve Joseph Demarteau III à l'égard de son fringant poulain qui, comme Simenon nous l'a écrit, ruait plus souvent qu'à son tour dans les brancards. Quand on sait en outre que Georges

Sim – athée depuis l'âge de treize ans – se proclamait lui-même «anarchiste en herbe», comment a-t-il pu rester en place durant quatre ans, alors qu'il cadrait si mal avec l'esprit profondément conservateur de la Gazette de Liége? De plus, il était déjà un fameux oiseau de nuit, hantant les quartiers les plus mal famés de Liège, fréquentant une bande de jeunes rapins aux idées échevelées et, déjà en ce temps-là, le petit Sim s'abandonnait volontiers dans les bras d'une prostituée.

À son retour à Liège en mai 1952, Simenon lancera à Joseph Demarteau cette phrase qui en dit long: «Vous auriez pu me mettre au moins cinq fois à la porte, et vous ne l'avez pas fait. C'est grâce à votre compréhension que je n'ai pas mal tourné..»[10]. Simenon se posera cette question toute sa vie: «Pourquoi cette indulgence du rédacteur en chef vis-à-vis d'un gamin de seize ans et demi qui allait écrire ses articles dans des boîtes de nuit?» [10]. Il reconnaîtra que Joseph Demarteau III fut l'un des «quatre hommes qui lui ont donné sa chance». Tant il est vrai que «sans le directeur de la Gazette de Liége, je n'aurais jamais été journaliste»[11].

Le romancier Simenon puisera largement dans cette période exaltante. Dans l'œuvre *L'âne rouge,* il dépeint Joseph Demarteau III, le patron de la Gazette de Liége sous les traits de M. Dehourceau, directeur de la Gazette de Nantes: «À cette heure-là, depuis vingt ans, il écrivait l'éditorial quotidien, dans son bureau gothique de l'autre côté de la cour. Le journal catholique nantais appartenait déjà à son grand-père qui avait signé les mêmes articles de fond. Père et grand-père Dehourceau étaient au mur, en effigie, avec une barbe identique, le même nez en fraise»[6].

Dans le roman *Les trois crimes de mes amis,* Simenon le décrit en outre comme «l'homme le plus honnête et le plus scrupuleux de la terre»[8]. Georges Sim est du reste à tel point extravagant et dissipé que son directeur devra le rappeler plusieurs fois à l'ordre.

Toujours dans *L'âne rouge,* on peut lire:
«Qu'est-ce que c'est?
– Lisez et signez.
C'était nouveau. Jamais encore on ne s'était servi d'un cahier pour donner des instructions aux rédacteurs. Sous le titre *Note de service à la rédaction,* on lisait: «Il est rappelé aux

rédacteurs qu'ils ne peuvent s'absenter pendant les heures de travail sans en avertir le secrétaire de rédaction».

La relation entre le patron et le petit Sim n'était pas toujours orageuse et tendue. Au contraire! Le fils du patron, M. Joseph Demarteau IV – qui fut lui aussi directeur de la Gazette de Liége, de 1959 à 1969 – nous a rapporté que son père avait l'habitude d'inviter chez lui chaque année, le 19 mars, à l'occasion de sa fête, l'ensemble de ses employés. Le patron habitait au numéro 5 de la place Rouveroy, actuellement place Émile Dupont, où son fils vit encore aujourd'hui. C'était au troisième étage que se déroulait cette rencontre durant laquelle, nous a précisé M. Joseph Demarteau IV, «ils buvaient quelques bonnes bouteilles ensemble et se racontaient les dernières blagues du journal».

Dans *L'âne rouge,* une divette demande au reporter Jean Cholet, au lendemain d'une nuit agitée passée en sa compagnie: «Vous avez pu faire votre compte rendu? J'en ai encore un morceau, car vous l'avez commencé à cette table. Si vous parvenez à lire quelque chose...»[6].

Comme nous l'avons déjà souligné, il est tout à fait certain que l'indulgence de M. Demarteau sauva Georges Sim de la délinquance: «Vers l'âge de seize, dix-sept ans, la révolte qui était en moi a bien failli s'extérioriser. J'ai connu un groupe d'anarchistes internationaux. J'en ai plus ou moins fait partie, ou plutôt je suis resté à la frontière de ce mouvement pendant un certain temps, quelques mois probablement.»[12].

Sim fait un «scoop» avec un simple «oui» du Maréchal Foch

Le dimanche 7 mars 1920, tôt au matin, M. Demarteau téléphone à Simenon que le Maréchal Foch est de passage à Bruxelles. Il allait traverser Liège pour se diriger vers l'Est.

«Allez à Bruxelles l'interviewer!, lance M. Demarteau.

– Mais quelle question dois-je lui poser?, demande le jeune Sim qui ne connaissait rien à la politique étrangère.

– Demandez-lui s'il ira à Varsovie...

– Ah bon?!...

À cette époque, reconnut bien plus tard Simenon, Foch était pour moi une statue de bronze plutôt qu'un homme en chair et en os. Et de plus, je ne voyais ni l'intérêt de la question, ni à plus forte raison, ses conséquences».

Pour saisir toute l'importance de l'interview que Sim va tenter d'arracher au Maréchal Foch, il est nécessaire de rappeler en quelques lignes l'enjeu qui se joue alors à l'Est.

Suite à la révolution d'octobre 1917, la guerre à l'Est est loin d'être finie. L'Armée Rouge menace Varsovie en mai 1920; elle s'est déjà emparée de Brest-Litovsk. À cette époque, la Pologne cherche depuis quelques mois un soutien auprès de la France. C'est en juin 1920, suite à la signature du Traité de Varsovie, que la France lui ouvrira des crédits. Au début de l'année 1920, il s'agit donc de savoir si le Maréchal Foch, le magistral organisateur de la Bataille de France, se rendra à Varsovie.

Le lendemain, la Gazette du 8 mars 1920, publie en page deux une dizaine de lignes seulement sous le titre "Le Maréchal Foch à Bruxelles". Étrangement, le «scoop» de Sim n'y est pas relaté.

Techniquement, la Gazette ne pouvait sans doute pas, les dimanches et jours fériés, modifier en cours de journée, et de fond en comble, sa mise en pages. Mais malgré tout, il est permis de s'interroger : n'aurait-il pas été possible de téléphoner l'information et de la donner ne fût-ce que dans le titre, se laissant encore l'occasion de la détailler le lendemain? Dans cet entrefilet, on signale uniquement que le Maréchal était de passage à Bruxelles : «Il a déjeuné ce dimanche matin au Palais de Bruxelles». Et de donner la liste des personnalités diplomatiques qui assistaient à ce déjeuner. Sans plus. Si ce n'est de préciser : «Le Maréchal Foch repartait le soir pour Cologne». C'est un peu maigre! Il faudra attendre la une de la Gazette de Liége du mardi 9 mars 1920 pour être au courant de ce «scoop». Georges Sim, envoyé spécial , signe un article d'une colonne, intitulé: "Le Maréchal Foch au Palais de Bruxelles" – "Quelques mots d'interview" – "Le Maréchal se rendra à Varsovie".

Il écrit: «Sans que les journaux français ou bruxellois l'eussent annoncé, sans même que la Légion française eût été prévenue, le Maréchal Foch, venant de Paris, est arrivé dimanche, à 8 heures du matin, à Bruxelles». Épinglons les phrases-clé de cet article. À la fois les lignes qui nous livrent le fond de l'interview et celles qui nous révèlent les conditions dans lesquelles le petit Sim a réalisé cette interview. Le train du

Maréchal s'arrête en gare. «Une longue haie s'était formée le long du quai. Lorsque le généralissime s'avança, conduit par un majestueux chef de gare, et accompagné de sa suite, la foule salua respectueusement, puis, tout à coup, des cris éclatèrent. «Vive la France! Vive Foch!». C'est à ce moment que nous nous avançons vers le Vainqueur de la Marne au grand scandale du chef de gare qui nous fait discrètement (!) signe de prendre place parmi la rangée de curieux, quelques mètres en arrière». Mais rien n'y fait: Sim s'avance! «Nous arrivons auprès de Foch qui, avant que nous ayons ouvert la bouche, nous tend très aimablement la main. Nous accompagnons le Maréchal jusqu'à sa voiture et lui demandons s'il compte se rendre à l'invitation de la Pologne. Depuis quelque temps, en effet, les journaux annoncent que Varsovie s'apprête à fêter le généralissime français. Nul cependant n'est en mesure d'affirmer que l'invitation a été acceptée ou refusée. Le Maréchal veut bien nous répondre.

– Je suis bien décidé, nous dit-il, à me rendre à Varsovie. Ne faut-il pas que j'aille saluer l'armée polonaise, la seule de nos alliés à qui je n'ai pas encore rendu personnellement hommage? Quant à la date de mon départ, je ne puis encore la fixer. Il est certain, en tous cas, que mon premier voyage officiel sera pour la République polonaise qui, comme la Belgique et la France, fut martyre de la Grande Guerre». Sim conclut: «Nous aurions désiré questionner encore le Maréchal sur d'autres sujets, mais l'heure du départ approche; les officiers prennent congé». Peu de temps après, le convoi s'ébranle. Dans une note lyrique, Sim termine par les mots: «Insensible au sommeil, Foch converse durant tout le voyage, avec le général Maglinse. C'est à deux heures du matin seulement qu'il arrive à Cologne».

À ce propos, voici le récit haletant que Simenon traça de cette équipée, dans une *Dictée:* «Je me précipite à Bruxelles, vêtu d'un vieil imperméable, car il pleuvait. J'attends sur le quai de la gare avec d'autres confrères l'arrivée du train du Maréchal. Mes confrères se précipitent aux portières et se font tous rabrouer par des officiers. J'attends le moment où le train se met en marche et commence à prendre de la vitesse pour sauter dans le wagon particulier du Maréchal. Dans le wagon particulier, c'est une façon de parler puisque je n'étais que sur le marchepied, en équilibre plus ou moins instable.

Un officier de la suite du Maréchal m'aperçoit à travers la vitre. Nous avions déjà quitté la gare et le convoi prenait de la vitesse. Pris de pitié, il m'ouvrit la portière et j'étais là, dans le couloir, si ému que je ne savais que dire. Il m'a ordonné:

– Restez là.

J'y suis resté, en imperméable et en chapeau mou. Il y a eu des conciliabules dans le wagon. Un visage s'est montré à moitié: celui du Maréchal. A-t-il eu pitié lui aussi, je n'en sais rien. Toujours est-il que quelques minutes après, l'officier d'ordonnance est revenu vers moi et m'a dit:

– Le Maréchal veut vous voir pendant deux minutes.

Une fois que je me suis retrouvé devant lui, il m'a observé des pieds à la tête. Son visage était impassible, comme sur toutes ses photographies et même sur sa statue équestre. Il m'a demandé:

– Qu'est-ce que vous voulez?

Tandis que son officier d'ordonnance restait à trois ou quatre pas, prêt à sortir son revolver si j'avais été un dangereux nihiliste, comme on disait alors. J'ai balbutié la phrase de mon patron:

– Monsieur le Maréchal, irez-vous à Varsovie?

Et, après un moment d'hésitation, il m'a répondu par une monosyllabe:

– Oui.

Quand je suis rentré à Liège, je ne me sentais pas fier. Toutes ces acrobaties pour un seul mot. J'ai été surpris par l'enthousiasme de M. Demarteau. Encore plus surpris de l'entendre s'écrier:

– C'est sensationnel!

On a tiré une édition spéciale. Le lendemain, tous les journaux du monde répétaient à l'envi la réponse du Maréchal. Il s'agissait en effet de savoir, mais je l'ignorais, si la France appuierait la Pologne dans n'importe quel conflit. Et c'était aussi le commencement du slogan: "Mourir pour Dantzig!"

Et le commencement de la guerre de 1939»[13].

C'était la toute première interview que Sim faisait d'un des grands de ce monde. Pour lui, c'est déjà le début de la recherche de «l'homme nu». N'a-t-il pas dit à de multiples reprises: «Les grands hommes ne m'impressionnent pas. Et pourtant j'en ai croisé des gloires». Et il se rappellera alors souvent: «Depuis Foch à qui, gamin, j'ai posé une seule question sibylline»...

Dans son billet quotidien Hors du Poulailler du 10 mars 1920, Monsieur le Coq se rit de «la foule qui ne goûte un spectacle qu'à la condition d'avoir les pieds compilés en conscience, et de n' avoir pas le loisir d'en admirer grand chose». Un simple exemple lui suffit à démontrer le bien fondé de ce qu'il affirme: «Il y a quelque six mois, on se juchait sur de branlantes échelles, ou l'on s'offrait un balcon à deux cents francs pour contempler le képi ou la moustache du Maréchal Foch. Dimanche dernier, le même Maréchal Foch, avec peut-être un cheveu gris de plus, mais généralissime quand même, parcourait Bruxelles en automobile. C'est à peine si l'on se retournait. À la gare, une trentaine de figurants composaient seuls la haie traditionnelle». Monsieur le Coq soupire alors: «Que voulez-vous, il n'y avait pas de foule, on ne devait pas payer, et surtout on pouvait bien voir sans se déranger aucunement... Alors, à quoi bon?...».

En tout cas, ce sacré Coq prendra aussi ses distances avec le reporter Sim dans son billet Hors du Poulailler du 29 avril 1920. Il s'en moquera ouvertement, faisant ainsi une sévère critique de cette expérience journalistique: «Il semble bien qu'actuellement la seule ambition des journalistes soit d'obtenir une interview d'un quelconque personnage plus ou moins célèbre. Ce que dira ce personnage en question importe peu: il suffit qu'il parle, que l'on puisse annoncer en capitales faisant concurrence au titre du journal: «Ce que nous dit Monsieur Untel!». La suite ne mérite guère d'attention: il s'agit de délayer le plus possible les quelques phrases, l'unique souvent, la simple poignée de mains parfois, qu'a bien voulu accorder la célébrité». Il boucle son billet par ces mots: «Après tout, ne faut-il pas que les personnalités et les interviewers servent à quelque chose!».

Georges Sim rencontrera à Liège bien d'autres personnalités qu'il interviewera dans les salons de l'Hôtel de Suède, aujourd'hui disparu. Citons Raymond Poincaré qu'il aurait même entrevu dans son hôtel en tenue de chambre au début de 1922. La quête de l'homme nu débutait déjà.

En novembre 1920, il rencontre le général Mangin: «C'est à l'Hôtel de Suède (...) que nous avons eu l'honneur de saluer le Général ainsi que Madame Mangin. Le Général nous parle de l'Allemagne d'aujourd'hui, de l'Allemagne qu'on n'a pas réussi à rendre inoffensive...»[14].

127

L'INCURIE ADMINISTRATIVE

Des Documents précieux en souffrance

Un Hôtel de Ville mal gardé

Le Couloir aux Cercueils

Voilà bientôt deux ans, que, dans l'aile gauche de l'Hôtel de Ville, gisent trois caisses ! Les dites caisses sont installées dans un coin du couloir donnant accès, par la Cour d'Honneur et la place de l'Hôtel de Ville, au bureau de la police de roulage. Entre deux portes ouvertes, elles défient le passant, et ne doivent sans doute d'être encore là, qu'à la conviction de chacun qu'elles ne contiennent rien d'intéressant ! D'être encore là, c'est beaucoup dire ; mettons d'avoir encore été là mercredi soir et même jeudi matin. Mais ceci est une autre affaire qui veindra en son temps.

Donc, nos trois caisses, dûment ficelées, restent sans surveillance en attendant... En attendant quoi ? Nul ne le sait. En effet, si les planches portent, en grands caractères, d'une belle encre noire, l'adresse

A Monsieur l'Echevin FRAIGNEUX

Nous devons ajouter que le destinataire n'en a cure.

Cette indifférence n'aurait rien de particulièrement significatif si les caisses contenaient des objets quelconques appartenant à l'Echevin en question. Mais telle n'est pas la réalité. En effet, sur une étiquette où le temps et les mouches ont laissé leur trace, nous avons déchiffré ces mots :

Périodiques français,
Parus durant la guerre,
Offerts à la Ville de Liége.

Monsieur l'échevin Fraigneux n'est donc en l'occurrence que le truchement accessoire, autrement dit l'homme de confiance. Le généreux donateur a pensé sans doute — nous regrettons de le désillusionner — que le plus sûr moyen de faire un don à la Ville de Liége était de confier l'objet en question à l'un de ses représentants, à l'un de ses échevins. On comprendrait, ou plutôt on serait enclin à excuser la négligence de M. Fraigneux, s'il né s'agissait, en l'occurrence, que d'un cadeau sans importance, de papiers sans utilité. Ce n'est pas le cas. Chacun sait que la collection des périodiques français constitue la documentation la plus précieuse sur l'Histoire de la Guerre. Nombre de personnes recourent à cette source et trouvent difficilement ces périodiques dans nos bibliothèques.

Au cours d'une enquête récemment menée à ce sujet, M. Brassine, professeur, bibliothécaire en chef de l'Université de Liége, nous a donné les renseignements suivants :

« Depuis l'armistice, l'Université s'est mise en quête des revues françaises, particulièrement des revues littéraires. Ce n'est qu'au prix de mille difficultés qu'elle a pu réunir une collection de ces revues, collection qui a été terminée il y a environ un an. (Depuis deux ans, les trois caisses gisent à l'Hôtel de Ville). Ces périodiques sont fort demandés, tant par des professeurs que par des étudiants et des particuliers. »

D'autre part, M. Defrêcheux qui, il y a quelques mois encore était Bibliothécaire de la Ville aux Chiroux nous a dit ce qui suit :

« La réunion des collections de la guerre a été des plus difficiles. Aujourd'hui encore, il manque à la Bibliothèque de la Ville de nombreux numéros — des années entières parfois — de la *Revue des Deux Mondes*, de la *Revue de Paris*, et d'autres encore. »

Et l'on attachait tant de prix à ces documents que, durant longtemps, ils ne furent mis à la disposition du public que dans la salle de lecture. Autrement dit, nul ne pouvait les emporter !

Ainsi donc, tandis que M. Fraigneux laissait moisir trois caisses de périodiques, nos bibliothécaires rivalisaient de zèle pour réunir les mêmes revues. L'envoi de M. Debroues contient-il les numéros qui nous manquent ? Nous l'ignorons ; M. Fraigneux l'ignore ; tout le monde l'ignore. Les caisses n'ont pas été ouvertes !

On se trouve donc devant un cas flagrant d'incurie. Non seulement, après deux ans, les périodiques ne sont pas à la disposition du public, mais encore ils sont abandonnés, dans un couloir, sans protection contre les intempéries et contre... les indélicatesses.

Comment on enlève une Caisse à midi à l'Hôtel de Ville

Qu'on ne dise pas qu'il est impossible d'enlever quoi que ce soit, à notre Hôtel de Ville. Prévoyant cette traditionnelle objection, nous avons opéré, nous même, cet enlèvement. Qu'on se rassure : nous n'avons pas l'intention de détourner à notre profit les dons d'un Mécène parisien... La caisse est en lieu sûr...

A l'heure qu'il est, Monsieur Pecqueur, le distingué Bibliothécaire des Chiroux en a reçu livraison, et il bénit, nous voulons croire, l'échevin Fraigneux de son précieux envoi.

Notre opération a eu lieu en plein jour, à midi exactement, à l'heure où l'Hôtel de Ville donne le spectacle de la plus parfaite activité. Elle s'est passée sans encombre, sans douleur, comme dirait un dentiste forain.

Nous publierons, dans notre prochain numéro, un compte rendu fidèle et circonstancié de ce... déménagement.

***

Comme nous n'avons transporté qu'une des trois caisses, nos lecteurs que la chose intéresse, trouveront les deux autres dans le couloir, attenant au bureau de la police de roulage. Pour visiter cette exposition, pas bésoin de tirer le cordon ou de réclamer le catalogue. Entrée libre de 9 à 18 heures.

Georges SIM.

Extrait de la «Gazette de Liége» du 14 octobre 1921.

Il rencontrera également à Liège le fils de l'empereur du Japon, Hiro-Hito, qu'il plaint amèrement dans un Poulailler. Celui-ci arrivait dans des lieux où son accueil avait été soigneusement préparé : «Pauvre Hiro-Hito, qui supportera à son retour dans le palais de son impérial papa, une idée presque aussi juste sur l'Europe qu'un décor de théâtre nous donne de la forêt». Et plus loin : «Ah! S'il avait été malin, il eût mis à sa place de prince un petit Japonais quelconque, et lui, passant pour domestique, aurait vu l'envers du décor. Mais les princes doivent-ils voir l'envers?»[15].

Sim dérobe une caisse à l'Hôtel de Ville

Quel mois pour le petit Sim que ce mois d'octobre 1921! Toute l'affaire est partie d'une simple question qu'il avait posée à un employé de l'Hôtel de Ville. Depuis des mois, il avait remarqué d'un œil distrait la présence de trois caisses fort encombrantes dans un couloir de la maison communale. Un jour, alors qu'il se rendait comme de coutume à «La Violette» pour recueillir son lot de faits divers quotidiens, il s'enquiert, l'air de rien: «Dites, à propos, lance-t-il, que font ces caisses dans ce couloir? Que contiennent-elles?». La réponse obtenue, il court ventre à terre à la rédaction. Il détaille alors avec fougue à son patron l'idée d'article qui venait de traverser son esprit à la vitesse de l'éclair. D'emblée, M. Demarteau, tout en l'encourageant, lui précise: «En cas d'échec, mon petit Sim, vous ne pourrez pas vous réclamer de moi».

Aussitôt dit, aussitôt fait! Accompagné par le chef d'atelier de la Gazette, Jules Swegerynen, muni d'une charrette à bras, Simenon fonce à l'Hôtel de Ville... Le lendemain, un article-bombe paraît à la une de la Gazette datée du 14 octobre 1921, comportant pas moins de quatre titres-choc: "L'incurie administrative", "Des documents précieux en souffrance", "Un Hôtel de Ville mal gardé", et "Le couloir aux cercueils". Dans cet article, il révèle: «Voilà bientôt deux ans que, dans l'aile gauche de l'Hôtel de Ville, gisent trois caisses». Ces caisses contiennent des périodiques français parus durant la Première Guerre. Le violoniste liégeois Joseph Debroux, vivant à Paris, les avait offerts à la Ville de Liège en les adressant à l'échevin de la Culture, M. Louis Fraigneux. Ce dernier, martèle Sim, «les a laissées moisir», alors que ces caisses lui étaient expressément adressées. Et, fait aggravant, alors que les périodiques de cette époque, «sont fort demandés». Sim démontre en outre d'éclatante façon que n'importe qui peut pénétrer dans l'Hôtel de Ville, ouvert à tout vent.

Le petit Sim a réalisé là un grand coup: il a en fait carrément dérobé une des trois caisses et est allé la confier au bibliothécaire des Chiroux. Dans ce premier article, il relate avec force détails «comment on enlève une caisse à midi à l'Hôtel de Ville». C'est le pavé dans la mare! Il termine cet article par un trait d'humour, invitant les lecteurs à se rendre à l'Hôtel de Ville pour y voir les deux caisses restantes: «Pour visiter cette exposition, pas besoin de tirer le cordon ou de réclamer le catalogue. Entrée libre de 9 à 18h»... C'est signé: «Georges SIM». Mais ce dernier n'a pas fait les choses à moitié.

En plus de cet article-poudrière, il égratigne allégrement l'échevin Fraigneux dans son billet Hors du Poulailler du 14 octobre: «Est-ce que, nouveau Landru, il aurait imaginé de céler ses victimes dans l'Hôtel de Ville même, à deux pas des policiers? Ou bien emmagasinerait-il de la sorte les vingt mille photos qui perpétuent son sourire au plus proche de son jubilé?

Et de s'exclamer: M. Fraigneux n'a aucune hâte de déballer ces paperasses. Ce n'est pas lui qui ira les consulter à la bibliothèque!». Sim suggère: «Ceux que la chose intéresse ont la ressource d'aller consulter ces périodiques dans les couloirs en question, à travers les fentes des caisses!». Suite à ce brillant coup, M. Demarteau félicita son jeune poulain en lui offrant une boîte de 25 cigares que ce dernier partagea avec son complice.

Mais, dans l'après-midi du 14 octobre, Sim est convoqué au commissariat de police. L'échevin Fraigneux, dans sa colère, avait déposé plainte. «Une plainte, précisa Simenon en 1970, qu'il a eu soin de retirer le lendemain, sur les conseils des autres échevins, et probablement du bourgmestre, car il se serait encore beaucoup plus couvert de ridicule».

Le lendemain, Sim prend la peine de conter dans les moindres détails, toujours à la une, son équipée pleine de culot à l'Hôtel de Ville, avec quasi la même titraille. Il précise dans le sous-titre un détail important: le poids de la caisse dérobée (75 kilos). C'est le 13 octobre, à 11h47 minutes exactement que la caisse fut subtilisée à Dame Administration dont il raille ouvertement les tracasseries inutiles: «Par la voie administrative, il a fallu deux ans pour que la caisse reste dans son couloir; combien aurait-il fallu de siècles pour qu'elle en sortît?». Dans la foulée, Sim justifie son intervention musclée. En emportant cette caisse, «je servais la cause publique, celle des bibliophiles et de tous ceux qui s'intéressent à la littérature de guerre».

Habile et rusé, il s'accorde en outre le plaisir de l'ironie: «Je servais aussi la ville, en la déchargeant du soin de faire transporter... plus tard, des documents à la bibliothèque des Chiroux.» Ce qu'il appelle «L'Opération» n'a rencontré aucune résistance. «Voilà la caisse dans la rue, narre-t-il, elle est hissée sur la charrette, et bientôt couverte d'une bâche. À la fenêtre du bureau de police, un agent fume placidement sa pipe». Une seule anicroche: la fille de la concierge est apparue soudain; mais Sim est parvenu à distraire son attention. Sous l'intertitre "Et maintenant", Sim tire la leçon de cette épopée: «Il est à espérer que M. Fraigneux voudra bien se substituer à nous pour opérer le déménagement des autres caisses». Mais il s'empresse d'ajouter sur un ton (très) mordant: «Si, cependant, la chose était par trop difficile, nous restons en tous cas à sa disposition». Reprenant son ton grave: «Il est à espérer aussi, qu'à l'avenir, on ne laissera plus moisir des documents de pareille importance, et qu'on veillera à la... sûreté de notre Hôtel de Ville».

Sim tient, en fin d'article, à préciser très habilement la cible qu'il vise, en dédouanant les innocents, afin d'éviter tout malentendu: «Ce n'est ni la concierge, ni les agents qui sont en faute». Il se permet de désigner le coupable du doigt: la faute «incombe surtout à celui qui n'a pas trouvé d'autre endroit qu'un couloir ouvert à tout venant pour placer des documents rares offerts à la Ville». Autrement dit, Sim veut la tête de l'échevin Fraigneux. Ce dernier ne tardera pas à riposter à cette magistrale attaque.

En attendant, le journal La Wallonie socialiste rit à gorge déployée dans son édition du 16 octobre, ridiculisant l'échevin au passage: «Un rédacteur de la Gazette de Liége vient de jouer un beau tour au... diligent échevin Fraigneux, le rescapé des dernières élections». Résumant l'histoire à ses lecteurs, La Wallonie socialiste qualifie le «petit Sim» de «rédacteurloustic». Tout en s'exclamant: «Mais quelle idée aussi de confier ces choses au sémillant édile dont des missions plus délicates occupent les rares loisirs que lui laissent ses abonnements aux théâtres divers». Le journal précise: «Fraigneux n'est pas content de la farce qu'on vient de lui faire. Pour s'en venger, il attendra deux ans encore pour ouvrir le deuxième colis et quatre ans pour le quatrième. À moins que quelque perturbateur ne vienne les déménager... ou que l'on fasse déménager l'échevin lui-même».

Malgré les moqueries de La Wallonie socialiste, c'est dans ce journal que l'échevin Fraigneux décide de répondre aux attaques du jeune lion de la Gazette. Sa lettre datée du 17 est publiée dans les éditions du 19 octobre, sous le titre: "M. l'échevin de Liège-Attractions sort de sa torpeur". La Wallonie lance ensuite: «Mais il n'en sort que pour tenter de l'expliquer, sans savoir cependant en donner une impossible justification». Voici l'amorce de la lettre de Fraigneux: «Il ne pouvait me convenir de répondre aux articles de la «Gazette de Liége», relatifs à l'enlèvement d'une caisse contenant d'intéressants documents». Enlèvement, ajoute-t-il «opéré par un jeune inconscient, signataire des articles». En fait, «le violoniste Debroux m'avait fait hommage, avec prière de les déposer à la bibliothèque du Collège, de journaux, documents et illustrés français». Cette offre, dit-il, m'avait été faite «en raison des liens d'amitié qui nous unissent». Il enchaîne par ces mots: «Mais la difficulté fut alors de trouver un endroit où seraient déposés ces documents, à l'usage de mes collègues du conseil communal. Non seulement, il fallait un meuble-bibliothèque, mais surtout un local accessible et convenable». Son principal argument est le suivant: «Vous n'ignorez pas combien nous sommes à l'étroit dans notre maison communale, et combien de difficultés nous rencontrons dans nos projets d'amélioration de nos locaux. C'est pourquoi, en attendant, et pour éviter des fuites (SIC) et des pertes, j'ai décidé de laisser les caisses intactes jusqu'à ce que nous ayons trouvé à placer convenablement leurs contenus. Il s'exclame alors: Et voilà tout!». Il croit de la sorte avoir balayé d'un seul geste toute cette polémique. S'écriant même: «Un monsieur, dans le désir de faire un reportage sensationnel, et sans rien connaître de l'affaire, a joué la comédie, que vous avez pu lire dans la «Gazette de Liége». J'hésite encore à qualifier le procédé d'indélicat ou d'inconscient!». L'échevin Fraigneux informe alors La Wallonie socialiste de la décision qu'il a prise: «Dois-je vous dire que la caisse enlevée a été, sur mes ordres, ramenée immédiatement à l'Hôtel de Ville». Il achève sa lettre en réglant ses comptes avec La Wallonie socialiste: «Je ne relèverai pas les commentaires désobligeants dont vous avez accompagné la relation de ce minime incident: je m'attendais à plus de courtoisie de votre part. Il conclut très justement: Encore une illusion qui disparaît».

À la suite de ce droit de réponse, La Wallonie socialiste réplique: «Cet excellent M. Fraigneux n'est pas un homme à qui «on la fait». Et il le montre bien! Ah! s'est-il écrié, on m'enlève une caisse sur laquelle je veillais jalousement depuis deux ans. Eh bien, moi, je vais faire plus fort que cela: je vais la faire rentrer! Et la caisse est rentrée... comme M. Fraigneux est rentré à l'Hôtel de Ville... un peu par hasard».

Le «petit Sim» monte à nouveau aux barricades dans les éditions du 20 octobre. De nouveau, les trois premiers titres sont identiques. Le quatrième révèle: "La caisse est revenue à l'Hôtel de Ville". Sim écrit: «Pas plus que celui de la «Wallonie socialiste», nos articles n'ont été du goût du sémillant échevin des Sociétés. Mais tandis qu'à nous, il réservait un flot d'injures verbales, épicées de menaces de vengeance, au cas de récidive, il adressait à l'organe socialiste un laborieux droit de réponse». Simenon, qui a plus d'un tour dans son sac, revient à la charge: «Pourquoi cette préférence? Nous l'ignorons. Serait-ce peut-être parce que c'est à la démission des échevins socialistes que M. Fraigneux doit de pontifier encore au Collège?». Notre reporter plonge alors dans un article des plus féroces et des plus rusés. «Vrai, on n'est pas plus aimable vis-à-vis d'un brave journaliste qui n'a vu, en toute l'affaire, qu'une occasion de rendre un éminent service à ses concitoyens». Bref, il joue à l'enfant de chœur pris en faute. «Non seulement on méconnaît ce service en ne le jugeant même pas digne d'une humble médaille de Liège, mais encore on ramène illico la caisse arrivée enfin à destination!». Sim repère d'emblée la faille, bien maladroite, qui réside dans les explications de l'échevin. Il en rit: «Soit dit en passant, cet enlèvement donne une saveur étrange au «pour éviter les fuites et les pertes» de M. Fraigneux. Les fuites ont été bel et bien évitées, puisque malgré toutes les précautions scabinales une caisse a filé jusqu'à la rue des Chiroux».

**M. Louis FRAIGNEUX proteste
contre les agissements de la " Gazette de Liége „**

Extrait de la revue «Nanesse», 24-10 au 4-11 1921, page 1.

Il marque ensuite un point magistral, avec un coup d'épée d'une redoutable ironie et d'un humour terrible : «Bienheureux encore fut M. l'échevin d'avoir affaire à un honnête déménageur qui n'a pas jugé utile de transporter le colis plus loin… et de s'en taire !». Arrivé là, le lecteur de la Gazette de Liége devait être secoué – sans aucun doute – par des vagues de rires !

Adoptant un ton plus sérieux, Sim constate que «les excuses sont malaisées à trouver lorsqu'on a tort». Il passe alors son temps à démonter un à un les arguments de l'échevin, le mettant au pied du mur de ses responsabilités. «Qu'est-ce que c'est que cette histoire de meuble-bibliothèque et de local comble ? Est-ce que M. Fraigneux ne nous raconte pas que, depuis deux ans, il cherche en vain l'endroit où placer les trois caisses de périodiques ? Vrai, nous ignorions que nos menuisiers aient à ce point pléthore de commandes qu'il leur soit impossible de finir, en deux ans, un meuble d'un mètre cinquante de large !». Le reporter monte le ton d'un cran : «Alors, un peu de sérieux, et qu'on ne nous conte pas des fables trop enfantines». Il ne laisse pas à son adversaire le temps de reprendre son souffle ; il veut le coucher au tapis sans tarder. Un bout de phrase nous laisse rêveur : «En attendant, j'ai décidé…». J'ai décidé ! Est-ce que par hasard M. Fraigneux, dans son omnipotence, aurait omis d'annoncer au conseil communal la réception de ces caisses qui lui sont destinées ! Il est vrai que, depuis deux ans, il n'en a peut-être pas encore trouvé le temps !».

Sim lui envoie un autre coup de poing au menton : «L'échevin qui nous occupe a une autre phrase encore qui vaut un poème – ou une comédie de Molière : «M. Debroux m'a fait hommage…». Cet «hommage» est alarmant ! Oui ou non les livres sont-ils destinés à la Ville de Liège ?». Immédiatement, notre reporter porte alors l'estocade finale :«La complexité de la prose de M. Fraigneux laisserait cette question pendante, si les caisses ne portaient une inscription précise, que nous avons déjà transcrite : «Don à la Ville de Liège». En conséquence de quoi, nous continuons à penser que la véritable destination des journaux, documents et périodiques est celle que nous leur avions assignée, c'est-à-dire la bibliothèque des Chiroux». Sim se met à critiquer l'échevin dans ses décisions mêmes : «On fut mal avisé de faire rentrer à la Ville la première caisse qui allait enfin, par nos soins, être mise à la disposition des historiens et de tous ceux qu'intéressent l'Histoire de la Guerre et la littérature de ces quatre années». Son article se termine sur une chute-couperet, sans appel: «Cependant, l'échevin se démène comme un bon diable! Nous serions bien méchants si nous le troublions davantage, alors qu'il a besoin de toute sa lucidité pour se tirer de la situation où sa négligence l'a placé».

Sans conteste, l'article de Sim qui paraît dans les éditions du 22 octobre est déterminant. C'est le tournant de l'affaire! Le titre proclame, sur un ton triomphant: «Le généreux donateur des caisses nous écrit et nous félicite de notre intervention! Ce que contiennent les caisses!».

Sim laisse une nouvelle fois libre cours à son ironie: «L'épilogue de cette histoire n'eût pas été assez savoureuse, écrite seulement par nous. La lettre de M. Fraigneux, elle non plus, n'était pas digne de clore l'incident». C'est M. Debroux lui-même, le donateur des caisses, «qui aura le dernier mot». Il a en effet reçu de sa part une «lettre recommandée». Debroux y exprime sa peine: «La pensée qui m'avait fait offrir à ma ville la collection complète de certains périodiques (...) a été bien peu comprise et appréciée, puisque depuis la date de leur remise (7 juillet 1919), les trois caisses qui les contenaient n'ont même pas été ouvertes». Par ailleurs, il détaille les titres précis que contiennent ces caisses: «Tous les numéros de: *L'Illustration, Le Miroir, Le Panorama de la Guerre, Le Figaro, La Liberté, L'Intransigeant* (de 1914 à 1918), plus une quantité de journaux divers ayant trait aux journées tragiques de Liège (5 et 6 août 1914)». Il salue alors l'action du «petit Sim», non sans une note d'humour: «Je vous remercie, Monsieur le Rédacteur, de les avoir si soigneusement exhumées de leur couloir où elles étaient, contre ma pensée, devenues un danger pour la circulation de mes compatriotes».

Fort de cet appui qui lui donne raison sur toute la ligne, Sim frappe le fer tant qu'il est chaud: «Non seulement, comme M. Debroux, nous nous attristons, mais nous nous indignons devant pareille incurie qui n'est pas faite pour maintenir le bon renom de notre cité. Bref, M. Fraigneux a manqué à son plus élémentaire devoir, et ce, dans une affaire où il remplissait un rôle de confiance. Il mérite le blâme sévère que constitue la lettre de M. Debroux». Suite à ces tirs d'artillerie lourde, quelques jours de trêve apparente s'écoulent. Cette brillante polémique se terminerait-elle en si bon chemin? Non, Sim ne l'entend pas de cette oreille. C'est dans les éditions de la Gazette datées du 25 octobre qu'il reprend le sujet là où il l'avait laissé. Sous le titre "M. Fraigneux s'obstine", il écrit: «Ce lundi, à 10h, nous nous sommes présentés à la bibliothèque des Chiroux pour consulter les collections du Figaro, de l'Intransigeant, etc.». Il constate: «Les périodiques de la collection Debroux ne sont pas encore arrivés à notre bibliothèque communale, et nul ne peut en tirer profit». Le petit Sim prend alors son boulier compteur: «Il y a aujourd'hui 872 jours exactement qu'au nom de la Ville de Liège M. l'échevin Fraigneux a pris livraison des trois précieuses caisses. Faudra-t-il attendre encore longtemps?»...

De fait, il semble que le temps n'arrange rien au sort des trois tristes caisses. Entre deux articles pour la Gazette, Sim déchirera à belles dents l'échevin Fraigneux par le biais du journal satirique *Nanesse* auquel il collabore. Dans le numéro daté du 29 octobre au 4 novembre, il s'amuse à parodier la lettre de Fraigneux: «Je me serais bien adressé à La Meuse, mais c'est un journal si idiot qu'on n'en lit guère que les annonces. Et encore. Le Journal de Liège? Il a exactement 35 lecteurs et ils ne sont pas mes électeurs».
Parlant d'un «petit clampin du nom de Sim, rédacteur à la «Gazette de Liége» et de «ce jeune écervelé» qui «croyait me donner une leçon, le pôvre!», M. Fraigneux «demande à Nanesse» si, en toute justice, il est «coupable» d'avoir négligé, durant deux ans et demi, cet envoi de livres». Il se plaint par ces mots: «Voyons, Madame. Je suis président d'une cinquantaine de sociétés de bons et francs lurons. Ai-je le temps de m'occuper des affaires de la Ville, moi? Il faut être raisonnable. Ne dois-je pas aller sourire à tel banquet, à telle réunion? (...). Est-ce que cela me laisse le temps de veiller au transport de trois misérables caisses? (...) Et d'ailleurs que contiennent ces caisses? Les collections 1914-1919 des publications illustrées françaises. Mais, Madame Nanesse, elles n'ont aucun intérêt ces collections. La dernière guerre ne nous intéresse plus. C'est la prochaine qui doit attirer notre attention. Cet idiot de Debroux aurait bien dû le prévoir. Aussi vais-je faire mettre au pilon ces vieux papiers, en attendant les collections des publications illustrées de la prochaine dernière guerre». Ce n'est bien sûr pas signé «Louis Fraigneux», mais bien: «Votre affectionné. Loulou».

Le tout dernier article de Sim dans cette polémique – qu'il gagne haut la main – paraît dans les éditions de la Gazette des 6-7 novembre 1921, sous le titre: "Les trois caisses à Fraigneux". Il y développe un art consommé de la raillerie. Il écrit notamment: «C'est l'échevin Fraigneux lui-même qui s'est chargé de démontrer d'éclatante façon que les collections offertes à la Ville sont des plus dignes d'attention. Pour ce faire, il a fait transporter les trois caisses dans son Cabinet (1er étage de l'annexe de l'Hôtel de ville). Ce dit Cabinet, auparavant d'accès facile, est désormais obstinément fermé à double tour et l'échevin de Liège-Attractions en garde précieusement la clef en poche». Mais ce n'est pas tout. «M. Fraigneux a fait ouvrir une des caisses. Lors, chaque matin, il s'enferme dans le local que la Ville met à sa disposition, et compulse amoureusement, en connaisseur, en érudit, les journaux et périodiques, tandis que la consigne de l'huissier est de ne laisser entrer personne sous aucun prétexte». Notre reporter poursuit son œuvre de sape: «Nous savions bien que M. Fraigneux ne manquerait pas de se laisser convaincre. Publiquement, il reconnaît l'intérêt du don de son excellent ami M. Debroux. Mais ce n'est pas une raison, cependant, pour monopoliser ces documents. D'autant plus que l'obstination du Cabinet échevinal à demeurer clos n'est pas sans porter préjudice aux affaires publiques. On ne compte plus les appels téléphoniques qui restent sans réponse, nul ne pouvant s'introduire dans le sanctuaire aux caisses». Persifleur jusqu'au bout des ongles, Sim ajoute: «Nous croyons cependant avoir surpris le secret de ce travail de dépouillement auquel se livre l'échevin des Services Industriels qui, sous peu, devra quitter la Violette et son siège scabinal. La sinécure qu'on lui réserve, comme fiche de consolation, ne serait-elle pas une place de bibliothécaire? Et, dans quelque temps, ne verrons-nous pas M. Fraigneux lui-même offrir avec son beau sourire les collections Debroux en lecture?». La finale est de la même encre, fort drôle: «Quoiqu'il en soit, en attendant cette éventualité, nous conseillons à ceux qui voudraient consulter l'une ou l'autre des collections de les aller quérir au premier étage de l'annexe de l'Hôtel de ville. Pour gouverne, M. Fraigneux reçoit de 10 heures à midi. Nous voulons croire qu'en se recommandant de nous, on ne fera guère antichambre». Signé: «Sim».

En 1970, Georges Simenon évoqua cette polémique par les termes: «Pendant quarante-huit heures, mettons une semaine, j'ai été une sorte de personnage. Bien entendu, je pensais plus à Rouletabille qu'à Maigret».

Sim part « En Allemagne...avec les Fraudeurs!»

La parenthèse à peine fermée sur cette polémique, voilà notre reporter Sim qui s'élance «En Allemagne... avec les Fraudeurs!». Tel est le titre générique d'un reportage (comprenant quatre longs articles) publié à la une de la Gazette de Liége durant la semaine du lundi 31 octobre au samedi 5 novembre 1921.

Dans cette série, Georges Sim observe d'un œil froid de zoologiste tous les moindres mouvements, toutes les moindres habitudes, toutes les manies et toutes les craintes de cette faune que constituent les fraudeurs. Il les suivra sans relâche, se mêlant à eux à partir de la gare des Guillemins jusqu'à Cologne, aller et retour. Il traquera leurs traits spécifiques, ne les quittant pas d'une semelle. Il les décrira avec force détails, et une forte dose d'humour et d'ironie. Et ce, à travers les quatre principales étapes d'une telle randonnée en Allemagne: le train des fraudeurs au départ; les fraudeurs en route; les fraudeurs dans les rues allemandes et, enfin, les fraudeurs avant, pendant et après le passage de la douane.

C'est à une véritable peinture de mœurs, minutieuse, précise et fine, que Georges Sim se livre, avec le regard obstinément rivé sur son sujet d'étude: le fraudeur! Il procède à la manière d'un sociologue de la vie quotidienne face à un phénomène de société: il observe, prend note, distingue et définit, tâche de comprendre les comportements et va même jusqu'à suggérer des mesures.

Georges Sim part d'une constatation qui prouve qu'à l'époque la fraude était un phénomène de masse: «Au début de cette semaine, au Palais provincial, neuf cent soixante cinq passeports pour l'Allemagne ont été délivrés en une seule journée». Et de conclure: «Peu, bien peu de Liégeois ignorent les péripéties d'un voyage en Allemagne occupée». Objectif de son article: engager «ceux qui y sont allés à ne plus tenter une désavantageuse aventure». Georges Sim distingue: «Il y a deux sortes de fraudeurs. Il y a la basse pègre, un ramassis de contrebandiers conscients et organisés, qui parviennent, Dieu sait comment, à introduire en Belgique jusqu'à cinquante kilos de beurre et quatre mille œufs d'un seul coup. La catégorie supérieure, si l'on peut parler de la sorte, comprend des gens qui commercent à peu près régulièrement, c'est-à-dire qui paient droits d'entrée et taxes, non sans toutefois jouer au plus fin avec les autorités. Ils achètent en grosse quantité des montres, des fume-cigarettes, mille objets en alpaga ou en cuir, qu'ils revendent ici avec un bénéfice de cinquante pour cent».

Pour rendre son récit nerveux et coloré, Sim reproduit les conversations qu'il a entendues dans le train :

«Vous faites le commerce?

– Moi! Oh non, madame! Faire le commerce, jamais! C'est pour moi, ce que j'achète! Pour moi, oui... C'est-à-dire que je rapporte des marchandises pour ma sœur, pour mon beau-père, pour la propriétaire, pour...

– Ah, bien!

– Et vous?»[16].

Au retour, le passage de la douane se révèle être un épisode haut en couleurs : «Il est peu de gens qui gardent leur calme, car tous ont quelque chose à craindre; tous transgressent l'un ou l'autre arrêté, règlement ou loi. Il y a un tas de petits arrangements préparatoires; certains petits paquets sont enfouis sous une couche de linge sale ou de babioles; les jupes de certaines matrones ont des plis mystérieux qui rappellent la silhouette des fraudeuses de grains et de pommes de terre du temps de la guerre... Bref, compartiments et couloirs puent la fraude à plein nez!»[17].

Georges Sim boucle son reportage en réclamant avec force «Des mesures, s.v.p.!». Il s'écrie : «Nous espérons en tout cas qu'une solution soit trouvée, mettant fin à la scandaleuse situation actuelle. Non seulement le commerce en pâtit, mais encore pareil trafic n'est pas fait pour maintenir auprès des vaincus le prestige de la Belgique. À tout prix des mesures s'imposent! Que l'État prenne en considération sa responsabilité!».

Sim aborde «Le Péril Juif!»

Sur une longue période, qui s'étale de juin à octobre 1921, soit au total durant cinq mois, Georges Sim fera paraître dans les colonnes de la Gazette de Liége une série d'articles, tous signés «Georges SIM», au titre nettement antisémite: *Le Péril Juif!*, dont le dernier est marqué du chiffre romain XVII. Nous en avons retrouvé quinze. Il s'agit, soulignons-le, de la série d'articles la plus importante – en volume – qu'ait écrite Georges Sim en quatre ans dans la Gazette de Liége. Chacun des quinze articles découverts présente en outre une longueur qui avoisine les 200 lignes-journal. C'est à une véritable campagne que s'adonne sans frein Georges Sim.

À ce propos, voici l'explication que Simenon nous écrivit en date du 6 septembre 1985: «Ces articles ne reflètent nullement ma pensée d'alors ni d'aujourd'hui. C'était une commande et je devais l'accomplir. À la même époque, parmi les locataires polonais et russes de ma mère, il y avait plus de la moitié de juifs avec qui je m'entendais parfaitement. Toute ma vie, j'ai eu des amis juifs, y compris le plus intime de tous, Pierre Lazareff. Je ne suis donc nullement antisémiste comme ces articles de commande pourraient le laisser penser».

Reconnaissons, avant d'aller plus loin, que la Gazette de Liége de l'époque paraît, sinon encourager, du moins accepter clairement la diffusion d'idées antisémites. Nous n'en voulons pour preuve, à titre d'exemple, que ces quelques lignes, tirées de l'édition des 21-22 juillet 1922: «L'âme vaillante de Godefroid de Bouillon, Roi de Jérusalemn, frémirait d'indignation si ses valeureux croisés, après avoir été remplacés par les musulmans, avaient comme successeurs au XXème siècle les pires et maudits ennemis du Christ: les Juifs». C'est signé: «Le Vieux Fureteur». Par conséquent, la série qu'écrivit Georges Sim ne détonne absolument pas dans cet environnement d'idées.

Dans son premier article, Georges Sim définit tout d'abord le judaïsme en s'inspirant d'une «intéressante autant que documentaire brochure que vient de publier M. Georges Batault». Il oppose ensuite les «valeurs grecques» aux «valeurs juives»: «Les unes représentent une conception esthétique et un idéal qualitatif du monde, les autres une conception éthique et un idéal quantitatif». Il déclare: «Il faut reconnaître que le monde moderne est tout imbu de cet idéal quantitatif juif, et que le judaïsme a une part prépondérante dans ce que l'on appelle orgueilleusement la civilisation contemporaine».

Georges Sim précise ensuite sa méthode de travail pour ce premier article: «En suivant pas à pas l'étude de M. Georges Batault, voyons à présent la part prise par les Juifs dans les grosses questions surgies depuis la guerre, et tout d'abord dans le bolchevisme». Il se lance alors dans des lignes fiévreuses: «S'il est parfaitement faux de prétendre que tous les bolchevistes sont des Juifs ou que tous les Juifs sont des bolchevistes, il n'est est pas moins *incontestable* que les sphères dirigeantes du bolchevisme, commissaires du peuple de tous poils et de toutes plumes, se recrutent en majorité parmi les Juifs, et cela dans une proportion des trois quarts au moins». Il en déduit que «la Russie agonise présentement sous le règne de la dictature et de la terreur juives».

Il explique plus loin qu'en Allemagne, il en est de même: «Le parti-social démocrate, qui compte parmi ses dirigeants un très grand nombre de Juifs, se hissa au pouvoir sur les épaules de la défaite». Et de poursuivre: «En travaillant de la sorte, les Juifs ont certes travaillé à la prospérité de l'Allemagne. Mais dans la qualité de leur patriotisme apparaît bien l'idéal juif». Georges Sim conclut par ces mots: «Cette distinction entre le patriotisme économique agissant et l'autre, le patriotisme tout court, garde une valeur incomparable et travaille à rendre plus profond le fossé qui sépare, malgré certaines affinités d'esprit et d'intérêts, l'Allemand du Juif allemand. Aussi la lente réaction politique qui s'effectue dans l'empire allemand d'aujourd'hui s'accompagne-t-elle d'un puissant courant d'antisémitisme» [18].

Il est incontestable que Georges Sim se fait l'écho à travers cette série d'un antisémitisme notoire et forcené. Il annonce sans fard ce qui allait devenir l'idéologie nationale-socialiste dans l'Allemagne des années trente suite à l'accès de l'hitlérisme au pouvoir.

On ne peut qu'être stupéfait du temps et de l'énergie dépensés à la rédaction de cette série inquiétante, d'un noir absolu. Georges Sim cite dans ses papiers l'ensemble des livres et des articles auxquels il se réfère: la brochure de M. Georges Batault, la traduction des *Protocoles des Sages de Sion* publiée par M. Lambelin à la maison d'édition Grasset à Paris, la *Revue internationale des Sociétés secrètes* de M. Jouin, un document du *Morning Post*, la plaquette *Les Juifs parmi les chefs de l'Entente, La Tribune Libre,* organe juif des Russes réfugiés en France, etc. Chacun des articles de Sim constitue en fait une suite de citations enchaînées les unes aux autres soit par des phrases servant de pure liaison, soit par des commentaires résolument engagés qui vont plus loin que le simple compte rendu, synthétique et froid. Un exemple : «Voilà par quels moyens les forces juives espèrent s'imposer au monde. Cette entreprise dont ils rêvent, ils ne comptent pas qu'elle se fera pacifiquement». Ailleurs, Georges Sim clôt son septième article par ces phrases : «Après cette énumération, peut-être comprendra-t-on que le rôle des Juifs dans les affaires internationales n'est pas purement imaginaire, et qu'il existe réellement un péril juif, contre lequel les forces nationales, et surtout les forces catholiques, se doivent de lutter»[19].

Sim ne s'arrête pas en si bon chemin : «Les deux domaines où se manifeste le plus l'activité juive sont précisément internationaux : la haute banque et la politique socialiste»[20].

En Allemagne, souligne Sim, «le mouvement juif se fait à ce point menaçant qu'il suscite, par contrecoup, une vague d'antisémitisme parmi la population»[21].

Il martèle même par la suite que «la Société des Nations est essentiellement d'inspiration juive»[22].

Le treizième article de la série est tout aussi révélateur : «Ainsi la pieuvre juive étend ses tentacules dans toutes les classes de la société, dans toutes les sphères où son influence ne tardera pas à se faire sentir. Et il en sera ainsi jusqu'à ce que le monde se décide enfin à réagir. À moins qu'alors il ne soit trop tard»[23]. À la lecture de ces lignes, on ne peut s'empêcher de frémir.

Même s'il s'agissait d'articles de commande, comment Georges Sim a-t-il pu se plier si docilement à une telle injonction? Alors qu'entre 1919 et 1922, il révèle une forte personnalité, une maturité étonnante, n'hésitant jamais à se mêler à la bagarre quand il le faut! Si ce n'était qu'une commande, pourquoi avoir signé soigneusement chaque article? Pourquoi s'être engagé aussi personnellement, sans marquer son désaccord à aucun moment?

Sim mène le lecteur «En Barque de Pêche»

Blankenberge, sur la côte belge, le 21 août 1922. Georges Sim se dirige d'un pas décidé vers un groupe de pêcheurs et leur demande : «Pourriez-vous me dire, messieurs, s'il est quelque pêcheur que je pourrais accompagner dans son prochain voyage?».

Georges Sim marque un étonnement: «Les pêcheurs n'ont pas bougé. Ils me regardent comme ils regardaient tantôt la pointe des mâts. (...). Le pêcheur parle à ses compagnons, en flamand. Il parle et il crache. Je ne comprends rien à ces phrases».

Reçu chez le «patron», Sim parvient à s'entendre avec sa femme qui parle français: «On tombe tout de suite d'accord. Seulement:
– Vous donnerez quelque chose, n'est-ce pas?

Évidemment. Je ne m'attendais nullement à du désintéressement absolu. Afin de me rendre un tant soit peu sympathique, j'offre une tournée. Pour me rendre plus sympathique encore, je propose:
– Du genièvre si vous voulez».

On le constate par ces articles: Georges Simenon se lança très jeune à la recherche de la «matière humaine», une quête qu'il devait mener toute sa vie. À travers ce reportage, Georges Sim révèle déjà d'une façon éclatante l'intention qui est sienne de s'ouvrir à tous les milieux et de hanter le plus d'univers possible. Car il a horreur, faut-il le rappeler, de l'enfermement et de l'enlisement.

Tout au long de ce reportage, le lecteur va suivre pas à pas Georges Sim dans son approche du monde des pêcheurs. Lentement, le reporter de la Gazette va tâcher de percer le mystère qui se cache derrière le regard et le front de ceux-ci. Car son récit, d'une sensibilité inouïe, part de cette interrogation essentielle qu'il adresse à ses lecteurs: «Avez-vous déjà deviné l'âge d'un pêcheur? Leurs têtes semblent de terre cuite, d'une terre cuite creusée de sillons minces, profonds, avec la pointe d'un canif. Il y a des rides sur le moindre morceau de peau, dans le cou et sur le nez. Et la pensée d'un pêcheur, l'avez-vous cherchée dans leurs yeux?».

Le rendez-vous est pris: «On part demain à 11 heures du soir. On rentrera probablement après-demain vers midi.

Je n'ai plus rien à dire. Eux non plus. Je m'en vais».

Georges Sim narrera avec quelle poésie son embarquement la nuit et décrira avec l'œil d'un citadin le métier des pêcheurs tout au long d'une série de quatre articles, parus entre le 25 et le 31 août 1922.

Mais surtout, Georges Sim exprimera ses étonnements et ses observations à propos de ces hommes qu'il côtoie pour la première fois de sa vie: «L'un d'eux grimpe au faîte du mât, en s'aidant seulement d'une corde. Je comprends maintenant pourquoi les marins n'ont point d'âge. Ils conservent toujours leur souplesse et leur vigueur. Leurs rides elles-mêmes sont fermes, au lieu des poches molles qui donnent trop souvent l'apparence de sénilité». Il constate à la fin de son dernier article: «Cependant un détail de la vie à bord me frappe encore. Les marins se parlent peu. Depuis qu'on a quitté le port, je ne me souviens pas de les avoir entendus échanger une parole. Des gestes seulement, ou plutôt des signes imperceptibles, pour organiser leur besogne. Dans les moments d'inaction, ils ne s'occupent pas l'un de l'autre. Chacun regarde un point du ciel ou de l'eau, fume sa pipe... et c'est tout.

À vrai dire, le décor se prête moins aux conversations et aux papotages de celui d'un café ou d'un trottoir. Les sujets les plus passionnants là-bas sont futiles entre ciel et eau!».

Est-il besoin de dire combien Simenon se montrera toute sa vie passionné par le monde des pêcheurs?

Sim chevauche des «Harley-Davidson»

Jeune reporter, Georges Sim est poussé à couvrir des domaines fort divers de l'actualité et à remplir des fonctions variées dans la rédaction: «À la Gazette de Liége, il fallait mettre la main à tout, surtout quand on était un petit débutant»[24].

Entre janvier 1919 et décembre 1922, Georges Sim a publié quelque 155 articles signés, abordant tous les sujets. Sans compter tous ceux qu'il rédigea, mais ne signa pas.

C'est ainsi que Georges Sim a, par exemple, suivi des courses cyclistes, juché sur une grosse cylindrée. Il nous a précisé à ce propos en juillet 1984: «Je suivais sur une grosse Harley-Davidson *Liège-Bastogne-Liège* et d'autres courses encore, moins importantes. On ne signait pas les comptes rendus». Toujours à propos du sport, il écrira sous un angle médical deux articles sous le titre: "La Culture physique et les Sports[25]". On sait combien la médecine intéressera toujours Simenon à la suite de ses rencontres, chez sa mère, avec des étudiants en médecine qui lui apprendront à l'aimer. Que de médecins ne mettra-t-il pas en scène dans ses romans! Sim va «résumer hâtivement la question sportive» sur base de la riche

Une Course cycliste !

C'est bien plus simple que je me le figurais.

Un boulevard grisaille ; une foule grouillante des deux côtés, le long des cordes ; des sergents de ville qui gesticulent, voilà pour la toile du fond.

Une longue table qui succombe sous le poids des victuailles de toutes sortes, deux camions automobiles échoués sur le terre-plein, au milieu d'une sorte de box clôturé de piquets et de cordes ; deux grands chaudrons jaunâtres, telle est la mise en scène.

Comme accessoires, notons un gros, très gros, excessivement gros Monsieur, enveloppé d'un imperméable brun, enfournant dans une large, très large bouche, petits pains, oranges, cotelettes qui lui tombent sous la main. Citons aussi un grand maigre, une petite brosse à dent rousse sous le nez, le corps serré d'un complet brun à martingale. Quelques brassards circulant de-ci de-là.

Pour les 77 personnages principaux, les coureurs, une seule description suffira. Des corps tordus, dans des vareuses sales, cheveux ébouriffés ; avec cela des plaques d'un blanc dégradé collées de-ci de-là à la peau.

L'action aussi se ressemble pour tous.

Un brusque virage, arrêt non moins brusque, numéro crié, signature écrasée sur une grande feuille.

Ingurgitation d'un nombre illimité de tasses de café ou de thé, suivie de quelques petits pains. Ensuite ravitaillement rapide en victuailles. Brusque départ et c'est tout.

Toute l'action ne dure que cinq minutes, entrecoupées de gestes brusques et de cris s'entrecroisant.

Et voilà une course cycliste telle qu'on la voit lorsqu'on regarde par le gros bout de la lunette.

Ne vous avais-je pas dit que c'était simple !

Sim.

Extrait de la «Gazette de Liége» du 2 mai 1919.

expérience d'un médecin liégeois: «Nous avons demandé au docteur Ledent, spécialiste averti en la matière, de nous documenter à ce sujet. Avec une grâce à laquelle nous rendons hommage, l'éminent praticien a mis à notre disposition les nombreuses notes qu'il a prises au cours de sa longue et intéressante carrière de médecin-spécialiste». Il achève cette série par ces mots: «Qu'on ne gaspille pas stupidement ses forces en des exercices pour lesquels on n'est pas fait. La mesure, ici, s'impose plus que partout ailleurs».

Plus loin, il écrira sous l'intitulé *Notes d'un Béotien :* «Je jurerais qu'en notre bonne ville de Liége, il est des enfants qui naissent en criant: Vive le Standard! C'est inimaginable, Monsieur, incroyable, Madame, la fièvre de cette foultitude qui encadre le tapis vert planté de petites machines que goals on nomme». Et de préciser: «Les petites vareuses rouges, vous le savez sans doute mieux que moi qui suis un Béotien, cela constitue le Standard. Pardon du blasphème, quand je dis les petites vareuses rouges, je comprends dans cette expression les poumons infatigables qu'elles enferment, les muscles endurcis qui en sortent, et ces cervelles exaltées, têtues et avides de victoire qui les surmontent». À la fin du match, gagné par le Standard, Sim s'exclame «Surtout, qu'un loustic n'aille pas crier «À Bas le Standard!», on le réduirait en pommade pour ecchymoses!»[26].

Il rendra compte aussi des mouvements sociaux de l'époque. Les grèves des mineurs, par exemple, marqueront très fort le reporter Georges Sim: «C'était extrêmement impressionnant! Quand ils faisaient grève, ils marchaient par rangs de dix ou douze, en costume de mine, et le défilé durait pendant des heures et des heures. Tout le monde s'agglomérait enfin place Saint-Lambert, de 60.000 à 80.000 personnes au moins. Et souvent la gendarmerie à cheval chargeait là-dedans, sabre au clair, pour un oui ou pour un non. C'était très impressionnant»[27]. Il suivra ces grèves en janvier 1920. Quand survenait un accident dans les mines, avec «cinquante ou cent mineurs ensevelis après un coup de grisou: c'est moi qui partais à moto attendre avec les femmes, blêmes, qui sanglotaient en attendant les autres mineurs qui descendaient sans être sûrs qu'ils pourraient remonter»[28].

De plus, Sim rendra compte de la grève des meuniers, en août de la même année. Suite à cette action de revendications,

Georges Sim tâche de répondre à la question qui est sur toutes les lèvres : «Manquerons-nous de pain?».

Mais, fait important, Georges Sim suivra pour la Gazette d'innombrables conférences. «Il y a une chose que je n'aimais pas beaucoup, avouera-t-il plus tard, c'était les conférences. J'ai tellement souffert en étant assis avec le public dans la salle, à attendre que le conférencier ait fini, que je ne veux pas infliger cela à mes semblables. Alors, je ne fais pas de conférences. Tu vois que cela date encore de la Gazette. Moi, je n'avais droit qu'à la conférence...»[29]. C'est ainsi que Georges Sim se permettra de saines colères, en critiquant vertement, par exemple, l'élocution d'un conférencier, en l'occurrence Edmond Jaloux : «Je suis d'autant plus fâché de cette négligence, de cette obstination, ou de ce défaut, qu'il a empêché la majorité du public de goûter pleinement la finesse d'analyse qui se manifeste dans l'étude d'Edmond Jaloux sur le roman contemporain, sujet de la causerie»[30]. Il se rendra en outre à des conférences de Paul Fort, de Pierre Mille, de Claude Farrère, de Jules Romains et de Jean Richepin. Ceux-ci s'exprimeront à la tribune de la Société pour l'Extension et la Culture de la langue française.

Face au déferlement des conférenciers français à Liège, Georges Sim tire l'alarme dans un article qu'il titre "Propagande Belge – Nos conférenciers à la tâche". Il s'écrie, ulcéré : «Et pourquoi, nous aussi, ne ferions-nous pas cette propagande nationale par les conférences! Pourquoi des Belges, encouragés, soutenus, envoyés par le gouvernement n'iraient-ils pas parler de la Belgique chez ses alliés, chez ses amis? Nous avons vu les étrangers à l'œuvre ; nous savons comment ils opèrent»[31].

Il lui arrivera malgré tout de vivre parfois de bonnes soirées lorsque, par exemple, il assiste à une conférence sur le thème des... "Avocats célèbres", avec pour sous-titre : "Destanches, Berryer, Lachaud". On peut y lire : «La causerie se termine au milieu d'une atmosphère presque intime, par ces mots : «On ne plaide plus aujourd'hui comme on plaidait au XIXe siècle. Destanges, Berryer sont morts, mais nous avons des talents comme Henry Robert et d'autres encore. C'est suffisant. Et les applaudissements pleuvent dru. Au demeurant, très bonne soirée» [32]».

Un autre compte rendu fort intéressant est celui que Sim

fait paraître sous le titre: "M. Cabanès. La Psychiatrie et les Génies". Il écrit notamment: «M. Cabanès signale le rôle de la physiologie et de la psychologie, ou plutôt de la pschycho-physiologie dans la littérature moderne. De toute évidence, la collaboration du médecin, et souvent de l'aliéniste ou du psychiatre, est appelée à étayer le raisonnement du littérateur et du philosophe»[33].

Terminons en précisant que Georges Sim s'amusera à se moquer de certains conférenciers dans ses billets Hors du Poulailler. Il notera, par exemple, un jour: «Puisque nous sommes hors du Poulailler où s'ébattent les poulets sérieux, nous pouvons bien, je pense, y trousser, avec plus de malice, un compte rendu de conférence, fût-ce d'une conférence des élégantes et bien pensantes Amitiés Françaises»[34].

1. Dictée «Quand j'étais vieux», 1970, pp.203-204.
2. «Croquis de séance», 24 juin 1921.
3. Tauxe, «Georges Simenon, de l'humain au vide», 1983, p.93.
4. Dictée «Des traces de pas», 1975, p.20.
5. Dictée «Jour et nuit», 1981, p.41.
6. «L'âne rouge», Presses Pocket, p.8 - p.14 - p.18.
7. «La Légia», «Georges Simenon évoque ses souvenirs...», 1943.
8. «Les trois crimes de mes amis», Collection Folio, p.30 - p.95.
9. «Portrait Souvenir», 1963, pp.59-60.
10. «Gazette de Liége», le 6 mai 1953, 1952.
11. Dictée «Un homme comme un autre», 1975, pp.17 et 62.
12. Dictée «Un banc au soleil», 1977, p.14.
13. Dictée «La main dans la main», 1978, pp.121-122.
14. «Le général Mangin à Liège», 19 novembre 1920
15. «Hors du Poulailler» du 31 mai 1921.
16. «En Allemagne... avec les Fraudeurs!», 30-31 octobre 1921.
17. «En Allemagne...aves les Fraudeurs!», 5 novembre 1921.
18. «Le Péril Juif!», 19-20 juin 1921.
19. Id., 4-5 août 1921.
20. Id., 14 août 1921.
21. Id., 8 septembre 1921.
22. Id., 15 septembre 1921.
23. Id., 22 septembre 1921.
24. Dictée «Quand vient le froid», 1980, p.86.
25. «La Culture physique et les Sports», 12-13 et 22 juin 1921.
26. «Notes d'un Béotien», 7 juin 1922.
27. «Portrait Souvenir», 1963, pp.63-64.
28. «Magazine littéraire», 1975, p.22.
29. «Simenon reçoit Victor Moremans», 1970, p.3.
30. «Edmond Jaloux», 5 avril 1922.
31. «Propagande Belge», 19 mai 1921.
32. «Les Avocats célèbres», 25 mai 1920.
33. «M. Cabanès. La Psychiatrie et les Génies», 24 novembre 1920.
34. «Hors du Poulailler» des 5-6 mai 1921.

Pour les Jeunes Ecrivains

A Messieurs les Académiciens Belges,

Messieurs,

« Tout éphèbe bien conditionné, sortant de rhétorique, a au moins un recueil de poésies sur la conscience ».

C'est de cette boutade, Messieurs, que je prends la liberté de vous parler. Ou plutôt, je voudrais soumettre à vos compétences, quelques réflexions et une toute petite proposition que ces mots m'ont suggérées.

Peu de collégiens, en effet, échappent à la tentation d'écrire un jour quelque chose, un sonnet à la cousine, un conte pour le journal estudiantin ou le compte-rendu d'une festivité pour le quotidien de l'endroit. Chez certains jeunes gens même, cette fièvre atteint une certaine intensité, et les sonnets, les compte-rendus ou les contes se multiplient avec une effrayante rapidité. Mais, est-ce là une raison, Messieurs les Académiciens pour refuser la moindre attention à tout ce qui sort de têtes imberbes ? Il faut bien être jeune quelque jour et vous aussi, n'est-il pas vrai, vous avez fait anti-chambre dans les quotidiens pour caser une nouvelle, ou bien lancé de problématiques bulletins de souscription pour l'édition d'une plaquette de juvéniles poésies !

Bref, ne croyez-vous pas, Messieurs, que nos jeunes auteurs ou, si vous préférez, nos futurs auteurs ne rencontrent pas tout l'appui qu'il serait possible de leur accorder ? Je sais bien que le Gouvernement manque rarement d'acheter un certain nombre d'exemplaires des œuvres des écrivains belges, jeunes ou vieux. Mais vous savez aussi, je pense, que le Gouvernement ne passe commande qu'une fois l'œuvre éditée. Et Dieu sait par quelles fourches caudines, par quelles démarches et sollicitations il faut passer avant de voir son nom briller sur la couverture d'un livre, gros ou mince, en vers ou en prose !

Je ne veux pas vous demander d'éditer toute la production des jeunes écrivains plus ou moins inspirées. Je ne veux même pas solliciter des subsides ou des primes. Mais ne croyez-vous pas qu'au en un pays où les Prix de Rome pour la peinture, la sculpture, l'architecture et surtout la musique sont en aussi grande faveur que dans cette bonne petite Belgique, on pourrait organiser aussi un tout petit prix de littérature.

Et maintenant que le mot est lâché, maintenant qu'après mille détours j'en suis arrivé où je voulais en venir, permettez-moi, Messieurs les Académiciens, de vous développer, le plus brièvement possible, l'humble projet dont je vous ai parlé plus haut.

Au cours d'une conférence qu'il donnait à Liège, au début de cet hiver, M. Pierre Mille, dont vous aimez, j'en suis sûr, les délicieux récits africains, tout en nous parlant de lui, comme tous les conférenciers, définissait la crise d'épuisement — j'allais écrire d'abrutissement — qui affecte souvent les écrivains, voire les meilleurs. « A cette crise, disait-il, je ne connais qu'un remède, et c'est celui que j'ai employé : les voyages. Ainsi, en Afrique, mon esprit a trouvé d'autres sources d'inspiration ; il s'est éveillé à nouveau, et je me suis aperçu alors que j'avais encore quelque chose à dire. »

Ne croyez-vous pas, Messieurs les Académiciens, que si de pareils voyages retrempent à ce point un caractère, une âme épuisée, ils sauront tremper des âmes jeunes, pleines d'ardeurs, certes, mais trop peu viriles encore ? Ne croyez-vous pas que si, à l'âge où il commence à être homme, où il commence à parler à ses contemporains, chaque écrivain pouvait voyager, se former de la sorte, il nous reviendrait avec un tempérament plus vigoureux, des sensations plus saines et une philosophie plus solide ?

Ceci est dans le domaine de l'idéalogie, j'en conviens. Mais, est-ce de l'idéalogie encore, de demander que chaque année, tous les deux ans, tous les trois ans même, un écrivain, un jeune belge, puisse, grâce à vous, aller s'instruire de la sorte ? Je dois vous avouer ici, que ce n'est pas sans une arrière-pensée que j'ai parlé de Pierre Mille. Je voulais ainsi atténuer un peu, comment dirais-je... l'énormité de la proposition que je vais faire. Il s'agit, en effet, d'envoyer le lauréat de notre Prix de Littérature au Congo.

Au premier abord, cette idée paraît assez effarante, ridicule même. Il me semble cependant que, puisqu'on est en présence de jeunes écrivains, il y aurait profit à les mettre en contact avec des peuples de civilisation différente de la nôtre, dans un pays où flore et faune ressemblent peu aux beautés naturelles du Nord.

Peut-être après ce voyage, les lauréats ne poliront-ils pas des vers harmonieux autant que corrects pour célébrer les yeux bleus, les cheveux blonds et la mélancolie des grands parcs ; peut-être n'écriront-ils pas des romans plus ou moins bourrés de complications sentimentales ou inspirés par une hautaine psychologie. Mais, par contre, je veux croire qu'ils nous apporteront de belles impressions, frustes peut-être, mais fortes ; je veux croire qu'en un langage robuste ils nous diront les choses vues par leur esprit sain et peut-être simple. Je veux croire au moins qu'il y en aura parmi eux qui apporteront des éléments nouveaux à la littérature belge, et qu'en tous cas, ils nous reviendront tous avec des caractères plus originaux et plus profonds.

Voilà, Messieurs les Académiciens, l'idée que, respectueusement, je voulais vous soumettre. Et mon Dieu, puisqu'autant je me suis décidé enfin à pénétrer dans votre auguste concile, j'ajouterai un mot encore. Outre le Congo, n'avons-nous pas aussi le navire-école, sur lequel, bon nombre d'entre vous ne dédaigneraient pas de faire leur petit tour du monde ! Tout cela, remarquez-le, le Congo comme le voyage au long cours, coûtera beaucoup moins cher que les séjours, si courts soient-ils, à Rome ou dans quelqu'autre ville de l'Italie. Tout cela aussi servira probablement à faire connaître, et surtout à faire aimer notre colonie qui n'a pas encore trouvé son barde. C'est donc de la belle et bonne besogne patriotique que j'ose vous propose.

Maintenant que je vous ai tout dit, j'attendrai avec patience, beaucoup, infiniment de patience, comme un bon citoyen, que vos multiples travaux vous permettent d'examiner un peu le sort des jeunes écrivains qui occuperont peut-être un jour vos chaires solennelles. Et je m'excuse, humble écrivaillon, d'avoir mêlé un instant mes propos béotiens au murmure sapient de vos doctes assemblées.

Georges SIM.

Sim propose l'institution d'un prix littéraire. L'élu voyagerait au Congo durant quelques années.
(Extrait de la «Gazette de Liège» du 5-6 mai 1921).

XII

GEORGES SIM SE FIANCE AVEC LES ARTS

Sim vit des beuveries à « La Caque »

Peu de mois après son entrée à la Gazette de Liége, Georges Sim fera connaissance avec un groupe de jeunes artistes qui se réunissaient sous la bannière de *La Caque*. Cette dénomination provient de l'expression la "caque de harengs", c'est-à-dire la barrique où les harengs salés sont empilés, serrés très étroitement les uns aux autres. C'est en effet dans un grenier exigu que ces tout jeunes artistes en herbe se rassemblaient la nuit, éclairés seulement par une lampe à pétrole. Ils passaient des nuits entières à discuter les idées de chaque philosophe et à boire du gros rouge, tout en mangeant des petits gâteaux.

Parmi les apôtres de La Caque, nous trouvons les peintres Luc Lafnet, Scauflaire, Ernest Forgeur, Joseph Coulon, Michel Morsa, Jean Lebeau, le graveur et peintre Joseph Bonvoisin, le dessinateur Charles Bury, le graveur Marcel Lempereur-Haut, le peintre Auguste Mambour, l'écrivain Ernest Bonvoisin, le philosophe Albert Nuez, le futur éditeur Robert Noël, le pianiste Léopold Bétet, et Joseph Kleine, peintre et cocaïnomane.

C'est à travers La Caque que Georges Sim fut véritablement initié au monde de la peinture. Toute sa vie durant, il aima s'entourer d'artistes-peintres. Il compta notamment parmi ses amis le peintre Jean Cocteau.

Entre 1931 et 1933, Georges Simenon fera revivre sous sa plume dans le roman *Les trois crimes de mes amis* les aventures qu'il a vécues avec les artistes bohèmes de La Caque. On peut y lire: «C'était dans une maison en ruine, au fond d'une cour peuplée de petits artisans. Le décor était moyenâgeux à souhait, l'accès tellement sinistre qu'aucun d'entre nous n'osait s'y aventurer seul»[1].

Un témoignage capital sur son entrée dans le groupe de La Caque paraît dans le journal La Meuse en 1953, à l'occasion d'une exposition rétrospective à Liège des œuvres de Luc Lafnet (1899-1939). Contacté dans le Connecticut (U.S.A.) où il vit, Georges Simenon évoque la figure de ce peintre liégeois et narre leur première rencontre. Sous le titre *Mon premier rendez-vous avec l'Art,* Simenon confie: «Ce dimanche-là a probablement été une des dates les plus importantes de mon adolescence et j'ai gardé un souvenir d'une netteté de gravure au burin, je me revois les mains dans les poches du pardessus, traversant la passerelle, puis tournant à gauche au coin de la rue de la Régence et de la rue Cathédrale. C'était en hiver. À deux heures de l'après-midi, la ville apparaissait vide. La guerre – celle de 1914, qu'on appelle encore la Grande Guerre, Dieu sait pourquoi – était finie depuis quelques mois et je travaillais depuis peu: j'avais seize ans. Quelques jours avant ce dimanche-là, Henri Moers de La Meuse, que je rencontrais chaque matin au commissariat central et dont j'étais devenu l'ami m'avant demandé:

– Cela te plairait de rencontrer un groupe d'artistes?

Je savais de qui il parlait. Ils étaient une bande de rapins, parfois dix à la fois, à passer au «Carré», le feutre en bataille, la lavallière au vent, et j'avoue que je les suivais des yeux avec une certaine envie comme je regardais avec admiration celui qui était le centre du groupe, un garçon pâle, aux cheveux et aux favoris d'un noir d'encre de Chine qui paraissait descendre d'une toile de Goya. Je dis, la voix un peu tremblante:

– J'en serais heureux, évidemment!

– Bon! Je demande à Lafnet si je peux t'amener dimanche. Lafnet, est-il besoin de l'ajouter, attirait tout ce que Liège comptait d'esthètes, d'écrivains, de dilettantes, de gens du monde dans le hall du Journal de Liège quand il y faisait une exposition de ses œuvres et le moins impressionnant n'était pas de voir, une heure après l'ouverture, le mot magique «Vendu» sur la plupart des toiles. J'entends encore Moers ajouter, mi-figue, mi-raisin:

– Je dirais que tu es poète!

Ce dimanche-là, je marchais en m'efforçant de ne pas courir vers la rue Louvrex où j'avais rendez-vous avec l'Art. Si Moers ne m'avait pas attendu au coin de la rue, je n'aurais peut-être pas osé sonner à la porte du vaste hôtel particulier que Lafnet habitait avec ses parents. Là, du rez-de-chaussée aux combles, où se trouvait l'atelier, les murs étaient entièrement recouverts de tableaux, certains aussi importants et impressionnants que ces vastes compositions qu'on ne voit que dans les musées et les palais officiels. À vingt ans, Lafnet avait peint des centaines de toiles, s'était essayé à tous les procédés imaginables. (...).

Il avait lu non seulement ce qui a été écrit sur l'art, mais les romanciers et surtout les poètes et les philosophes, souvent presque inconnus dont il parlait avec une chaleur qui suffisait à nous les faire admirer. Si je dis «nous», c'est que, dès ce dimanche-là, je fis partie du groupe, qui s'appela le «Cénacle», puis l'«Aspic», puis la «Caque», qui eut d'autres locaux dont un dans une impasse proche de l'église Saint-Pholien et un autre dans un grenier de la rue Basse-Sauvenière, derrière le Trianon. Ici et là, Lafnet était le centre, la raison d'être du groupe et je m'étonne, en y pensant après si longtemps, qu'un garçon aussi jeune ait eu un tel prestige, non seulement aux yeux de ses camarades, mais à ceux d'hommes mûrs et de ses maîtres eux-mêmes. Jamais, il est vrai, je n'ai rencontré depuis pareil enthousiasme et pareille sincérité. Jamais non plus je n'ai vu être plus tourmenté que lui. (...). Deux ou trois ans après notre rencontre, Lafnet qui, le premier était parti pour Paris, m'attendait sur le quai de la Gare du Nord, en décembre, cette fois, et je le retrouvais pareil à lui-même. (...). Quand l'an dernier, à Liège, j'ai aperçu de loin la rue Louvrex, c'est à mon ami Luc que j'ai pensé, à un froid dimanche qui a vu le début d'une amitié»[2]. Précisons que des chemins de croix et des panneaux de Lafnet ornent des églises de Paris et de sa banlieue.

Simenon évoquera le groupe dans une page du roman *Les trois crimes de mes amis*: «... étreindre une vierge au nombril purulent... Celui qui, sans rire, clamait ce désir, était un peintre de vingt ans, beau et glorieux, connu de toute la ville par ses expositions, où il vendait tout ce qu'il voulait (...). Nous avons été à une époque troublée – mais toutes ne le sont-elles pas? – un petit groupe de gamins à remuer des idées aussi dangereuses que les bombes et à frôler des précipices sans le savoir. On a eu recours au clair-obscur, aux oripeaux et aux têtes de mort pour se faire peur et on a bu pour se sentir plus fous. On a tutoyé Dieu-le-père et Satan, en réprimant un frisson, et on a fait l'amour avec Charlotte pour se persuader que l'amour est une chose répugnante»[1]. Simenon ne dira-t-il pas plus tard: «Il y a eu aussi Henriette qui a couché avec toute la bande. C'est par hasard que je n'ai pas couché avec elle aussi. J'avais rendez-vous à quatre heures avec elle mais il se fait que, ce jour-là, un travail urgent m'a retenu à la Gazette»[3].

De même dans *Le pendu de Saint-Pholien,* Simenon lance Maigret sur la trace de ses souvenirs liégeois. Le commissaire devra s'intéresser de fort près à une petite société secrète, *Les Compagnons de l'Apocalypse,* dont les membres sont des jeunes gens qui passaient des nuits d'orgie dans l'atmosphère morbide d'un taudis. Ceux-ci martèlent, entre autres: «Naturellement, nous redécouvrions le monde! Nous avions nos idées sur tous les grands problèmes! Nous honnissions le Bourgeois, la Société et toutes les vérités établies... Les affirmations les plus biscornues s'entremêlaient dès que nous avions bu quelques verres et que la fumée rendait l'atmosphère opaque... On mélangeait Nietzsche, Karl Marx, Moïse, Confucius et Jésus-Christ.. Nous étions une Élite, un petit groupe de génies réunis par hasard»[4].

En septembre 1989, suite au décès de Georges Simenon, Mme Jos Bonvoisin, la veuve du peintre liégeois, évoque l'époque de La Caque, en parlant de Sim: «À l'époque, on avait tous les deux 17 ans. C'était un grand garçon aux yeux clairs, aux cheveux ondulés. Il avait beaucoup de charme. Et de préciser: Moi, je courais avec Bonvoisin. Les filles sérieuses n'intéressaient pas Sim. Il cherchait autre chose. Lui, préférait les putes. Il y avait un quartier de putes, près de La Caque. Il nous racontait ses histoires avec elles». Le soir, «on lisait beaucoup. On lisait Anatole France, Nietzsche... Et on discutait de tout cela. (...). Certains n'avaient pas de sous. Avec leurs grands chapeaux, leurs longues pipes et leurs idées, ils étaient les derniers romantiques»[5].

Sim rencontre « Tigy », sa première épouse

C'est par le groupe de La Caque que Sim fera la connaissance de Régine Renchon, qu'il surnommera "Tigy". Il l'épousera le 24 mars 1923 à l'Hôtel de ville de Liège. Artiste-peintre, celle-ci réalisera bien des tableaux représentant Simenon.

Simenon s'écrira plus tard: «C'est à quatre pattes que je suis entré dans le mariage. Ceci n'est pas une figure de style. Je parle littéralement». Quelles furent les circonstances de leur rencontre? La nuit de Noël 1920, les bouteilles d'alcool passent de main en main au sein de La Caque. Cette nuit-là «a été presque orgiaque, car on avait augmenté le nombre de bouteilles et certains avaient bu de l'éther». Ils se promènent au centre-ville et rencontrent un jeune architecte qui les invite à passer chez lui. «Il nous a invités à passer la veillée du nouvel an, non pas dans le grenier de La Caque, mais dans l'atelier de sa sœur, elle aussi élève des Beaux-Arts». Les souvenirs de Simenon sont flous: «La veille du nouvel an, j'ai d'abord fêté celui-ci avec un camarade de la Gazette de Liége, de sorte que vers neuf heures du soir, j'étais déjà soûl. Je me suis rendu, pas trop sûr de moi, à l'adresse que mes amis m'avaient indiquée. Je fus très étonné de voir une de ces grosses maisons de pierre généralement habitées par la grosse bourgeoisie liégeoise. Je sonnai. R... vint ouvrir la porte, mais je ne le reconnaissais pas. Je suis allé droit devant moi. J'ai gravi un large escalier à deux volées. J'ai voulu entrer dans une des pièces du premier étage, mais mon hôte m'a dit de continuer à monter. Je l'ai fait à quatres pattes, car je ne tenais plus debout». Dans le grenier, il se met à parler avec la fille de la maison, Régine Renchon: «À côté de moi, une jeune fille aux cheveux tirés et au front ceint d'un bandeau s'est mise à me parler et nous avons discuté art et littérature (...). La jeune fille s'appelait Régine. Elle avait trois ans de plus que moi. Elle n'était pas belle, ni jolie. Quelques semaines plus tard, pourtant, elle était ma fiancée et elle allait devenir ma première femme»[3]. Pour Simenon, ce premier mariage constituera un garde-fou dont il avait, dira-t-il, alors besoin!

---

1. «Les trois crimes de mes amis», Collection Folio, p.48. - pp. 51 et 181.·
2. «La Meuse», l'article «Un témoignage de Georges Simenon sur Luc Lafnet», «Mon premier rendez-vous avec l'Art», 14 octobre 1953.
3. Dictée «Un homme comme un autre», p.19.
4. «Le pendu de Saint-Pholien», Presses Pocket, pp. 151-152.
5. «Le Soir Illustré», septembre 1989, pp.15-16.
6. «Mémoires Intimes», p.12

La une de «Noss Pèron» du 1er octobre 1921 et celle de «Nanesse» des 19-25 août 1922.

XIII

GEORGES SIM, JOURNALISTE WALLON ET SATIRIQUE

À Paris, Georges Sim collabora à des journaux satiriques, comme, par exemple, *Le Merle blanc* qui fut lancé en 1919, par Eugène Merlot, dit Merle. C'est à Liège qu'il choisit ses premiers pseudonymes : SIM, SANDOR, KIM et GUT. Il les utilisera également à Paris.

Dans son Poulailler, Georges Sim décrit ce qu'il appelle «la mécanique d'une revue de jeunes» qui, dit-il, est «relativement simple» : «Dix, quinze éphèbes, (…) s'aperçoivent que, suivant leur expression, ils ont «quelque chose dans le ventre». Lors, puisqu'ils ont «quelque chose», il faut qu'ils l'extériorisent, et pour l'extérioriser, il faut du papier et un imprimeur». Sim conclut plus loin, rieur : «La revue paraît, avec un titre discuté durant de longues et chaudes séances. Chacun des auteurs y lit régulièrement sa propre prose ; les Mécènes ne coupent pas les pages et les libraires revendent au poids les invendus»[1].

Durant une année, à partir d'octobre 1920, Sim collaborera à deux revues liégeoises, *Noss'Pèron* et *Nanesse*. Il se peut qu'il ait débuté plus tôt, mais nous ne pouvons pas en être certains, car Sim n'a signé aucun article avant octobre 1920. Dans Noss'Pèron, il signa sept articles. Dans Nanesse, Sim n'en signa aucun, sans doute par prudence, pour ne pas être reconnu. Il est tout à fait impossible de se faire une idée exacte de l'ampleur de sa collaboration à Nanesse où il ne fit sans doute que rapporter des détails croustillants sur l'actualité du moment, contés sur un ton persifleur.

Le Complot est découvert

La "Mazette de Liége" vendue à l'Allemagne

NOS ACCUSATIONS ! NOS PREUVES ! !

Que les citoyens de la ville libre de Liége lisent ceci avec grande attention. Nous avons aujourd'hui la preuve irréfutable de la trahison de la *Mazette de Liége* La *Mazette* ert vendue aux Boches, voilà la vérité dans toute son horreur.

Nos documents sont là Ils sont accablants. Il importe que le peuple liégeois connaisse et stigmatise, comme il convient, les menées infâmes de ce journal déjà connu, en 1914, pour son impénitente germanophilie.

Disons-le de suite, le but de *la Mazette* était de renverser Albert 1er, trop libéral, et de le remplacer par Guil'aume II, plus clérical. Lecteurs, pèse bien nos mots. Il y va du salut du pays.

·Le 1er février, un journal de Zanzibar, le *Zizipanpan*, publiait cette sensationnelle information que nous rèproduisons, avec, en regard, la traduction.

La preuve	La traduction de notre document
Nir onstsur, entp	" **La Mazette de Liége** au service de l'Allemagne „
Zizipanpan leb, ut zar sit dardennus abb, nir ruq var st ur. Heb zou oi ne mazette Leodinum (1) ZIZI HOUHOU.	Lors de la réception à la Concordia des étudiants louvanistes, qui éut lieu dernière-ment, l'ex-député M. Goblet prononça un grand discours
(1) *En langue Zanzibarde, on dit beaucoup de choses en peu de mots. C'est pourquoi cet article est si court.*	Il glorifia l'œuvre cléricale, et termina en s'écriant: notre devise sera notre sauvegarde : *Dieu est avec nous !*

Qu'ajouter à cela? La preuve est complète. On ne sait que trop que la devise des immondes hordes teutonnes était *Gott mit uns*, c'est-à-dire : *Dieu est avec nous*. On voit donc que l'ancien chef du parti clérical liégeois qui s'apprête à entrer en lice aux prochaines élec-tions communales, n'a pas craint de dévoiler que son parti avait la même devise que les cohortes germaniques.

Les devises rassemblent toujours les gens de même espèce. De là à vouloir l'avènement au trône de Belgique de Guillaume II, il n'y a qu'un pas. Le bon sens du peuple Belge le comprendra. Nous avons fait notre devoir en dévoilant les sourdes menées de la *Mazette de Liége*. Aux pouvoirs publics à faire le leur.   NANESSE.

Extrait de «Nanesse» des 5-11 mars 1921, page 2.

Sa liaison trouble avec «Nanesse»

Simenon nous précisa en juillet 1984 de manière lapidaire : «Souvenirs vagues – n'ai écrit que quelques échos à Nanesse avant de m'en séparer». Nous avons déjà parlé de deux articles que Sim a sans doute écrits dans Nanesse : à travers l'un, Sim se moque allégrement de M. de Géradon, le candidat des pêcheurs à la ligne[2] et, dans l'autre, il fustige l'échevin de la Culture, M. Fraigneux, à propos de la célèbre affaire des trois caisses de l'Hôtel de Ville[3].

Précisons que *Nanesse* (Agnès en wallon) est le nom d'un personnage populaire qui incarne avec son mari – *Tchantchès* (François) – le peuple liégeois, rieur et jovial. Il sont tous deux représentés le plus souvent sous forme de marionnettes.

Deux mots de présentation à propos du journal Nanesse. Le sous-titre en dit long : «Héritière de Tatène et Tchantchet – Journal satirique illustré paraissant le samedi». Hebdomadaire, le tout premier numéro de Nanesse sort de presse le 27 novembre 1920. La une arbore deux devises : «C'est un journal de journalistes, non de députés ou de financiers». Ou : «Le journal est neutre. Il est wallon et ça lui suffit».

Nous avons découvert une seule preuve de sa liaison avec Nanesse. À la une de l'édition des 19-25 août 1922, consacrée au poète wallon Joseph Vriendts (avec caricature), on peut lire les quelques lignes suivantes qui se rapportent au billet quotidien que Vriendts signait dans La Meuse : «Calendriers et faits divers vous inspirent des petites histoires pittoresques ou amusantes, même parfois ironiques. Cela vous vaut de nombreux amis, et vous méritera aussi une place réservée au purgatoire, les R.P. Sandor et Sim ayant depuis longtemps excommunié les collaborateurs des «mauvais journaux». Il semble donc que Sim prenait part directement aux décisions de la rédaction de Nanesse.

À la une de Nanesse des 10-16 juin 1922, on tombe nez à nez avec un article qui porte ce titre en lettres grasses : "Le complot est découvert". Avec en sous-titre : "La «Mazette de Liége» vendue à l'Allemagne". Et, en plus petits caractères : "Nos accusations! Nos preuves!!". Ce canular, est-ce Sim qui l'a joué à la Gazette? C'est fort possible. Cette rumeur part du fait qu'au lendemain de la Grande Guerre, les adversaires de la Gazette l'accusèrent, à tort, d'avoir permis aux

Allemands d'imprimer Le Peuple Wallon sur ses presses. Ils le firent, dans la réalité, malgré les vives protestations de la Gazette.

À propos de la polémique qui tourna autour de la «Loi Von Bissing», le reporter Georges Sim fait l'objet d'un article dans les éditions de Nanesse datées des 24-30 septembre 1921. Le titre est un jeu de mots: «SIM...AGRÉE». Et d'écrire que Sim a provoqué une «polémique à propos de queues de cerise» pour «obtenir un surcroît de popularité».

Nanesse passe à l'attaque: «C'est ainsi qu'on a vu un jeune poulet, qui s'intitula avec outrecuidance «Monsieur le Coq», s'élever dans les colonnes de la «Mazette de Liége» contre les libéraux qui siégèrent au meeting organisé contre la loi Von Bissing». Nanesse fait observer: «Monsieur Sim a cherché noise à M. Sasserath. (...). Nous savons ce qui causa la colère de M. Sim. (...). Sans doute Monsieur Sim trouve-t-il qu'il n'est pas si désagréable que ça d'avoir deux langues dans sa bouche». Nanesse conclut: «Quoi qu'il en soit, connaissant la prestesse de sa plume pour l'expédition de droits de réponse, nous l'avertissons que nos colonnes lui sont largement ouvertes. C'est peut-être le seul moyen d'éviter le péril. Et puis, entre parenthèses, cela nous ferait autant de copie à l'œil. Pourvu, grands dieux, que Sim agrée».

Si Simenon se montre officiellement laconique et discret sur cette collaboration, il écrivit pourtant en 1937 des pages et des pages sur Nanesse dans le cœur même du roman *Les trois crimes de mes amis*. Élégant et beau parleur, son confrère Deblauwe de La Meuse veut lancer une gazette satirique avec Simenon. Dans le roman, leur nom respectif est transcrit tel quel. Tous deux cherchent un titre-choc pour ce journal: «Pourquoi pas «Nanesse»?

Un personnage de la mythologie liégeoise, une commère mal embouchée, généralement représentée un balai vengeur à la main. Le titre choisi, Deblauwe sortait de nombreux documents de sa serviette, citait des chiffres, poids et prix du papier, prix de la composition, brouillons, invendus, tandis que notre bailleur de fonds écoutait distraitement et se polissait les ongles» [4]. Un peu plus loin: «Quand le premier numéro de Nanesse parut, ma mère me déclara:

– Tu devrais être honteux d'écrire dans une pareille ordure!

Ce en quoi elle exagérait. Certes, les textes et les dessins n'étaient pas d'un conformisme exagéré et, puisqu'il fallait faire de l'humour à tout prix, force était d'en faire aux dépens de gens et d'institutions respectables». Le libraire Danse reprendra Nanesse qui deviendra alors une feuille à scandales. Simenon quitte le bateau après «une brève collaboration». Cette précision rappelle étrangement les propos que Simenon nous a adressés en juillet 1984.

Nanesse, par sa nouvelle formule, intrigue: «Cela éclatait dans la ville liégeoise comme une incongruité au milieu d'un banquet. Tout le monde achetait Nanesse, pour voir, et ceux-là mêmes qui n'y connaissaient rien en journalisme sentaient confusément l'énormité de la chose». Le journal annonçait: «Nous allons nettoyer les écuries d'Augias...» (..). C'était l'Enfer de Dante réécrit par un petit bouquiniste (...). Les gens n'en revenaient pas. On n'avait jamais vu ça».

«Noss'Pèron» aimerait «fesser les gamins»...

Au contraire de Nanesse, le journal wallon *Noss'Pèron* présente une tenue rédactionnelle nettement sérieuse. Ce n'est pas un journal satirique! Les articles qu'on y lit sont d'une écriture très soignée. Son titre signifie tout simplement Notre Perron, se référant au célèbre Perron de la place du Marché, symbole des libertés liégeoises. Noss'Pèron, a pour sous-titre: *Gazète des Tièsses di Hoye,* c'est-à-dire Gazette des Têtes de Houille. Surnom, nous l'avons vu, des Liégeois, connus pour leur caractère frondeur et vivant dans une région charbonnière. Devise du journal: «Belges d'abord, Wallons toujours». Il fut fondé par Jean Waroquiers. Il paraîtra du 24 octobre 1920 au 30 décembre 1926, soit 52 numéros en sept ans. Au départ bimensuel, il deviendra hebdomadaire dès le premier numéro de la seconde année. D'un format de 27 x 35 cm, il contient 8 pages.

Dans Noss'Pèron, Georges Sim signa un ensemble de sept papiers. Les cinq premiers paraissent sous le même intitulé, *Lettre à une petite Bourgeoise.* Sim y sermonne très délicatement une maman, s'adressant à elle dans chacune des lettres par les mots «Chère Madame». Il lui donne des conseils sur la manière d'éveiller la sensibilité et l'intelligence de son enfant. À travers ces lettres, on prend l'exacte mesure de tout l'amour que portait et que porta toujours Simenon à Liège, sa ville natale. C'est un véritable hymne d'amour, l'expression n'est pas trop forte, que Sim adresse à la région

Lettre à une petite Bourgeoise

CHÈRE MADAME,

Permettez-moi de vous parler encore de vos promenades et de vous gronder un peu, bien gentiment, comme on gronde un bon camarade. Je vous ai rencontrée en ville, par un de ces délicieux matins que le soleil dore et adoucit, comme s'il voulait réjouir notre réveil par une symphonie toute de velouté et de demi-teintes.

Vous marchiez très vite, le regard enfoui dans la succession de vitrines qui défilaient à votre côté, tandis que votre bambin, accroché à une main distraite, s'efforçait d'allonger ses petites jambes aux mollets rouges. Il avait fort à faire à régler son pas, menu au vôtre, et, si un instant son attention s'égarait à gauche ou à droite, il se butait aux jambes d'un vieux Monsieur, trempait le pied dans le ruisseau ou s'entouissait dans le jupon d'une grosse matrone. Vous le tanciez sans pitié, et serriez bien fort son poignet pour « l'apprendre à regarder devant soi ! »

Regarder devant soi ! Mais savez-vous, chère Madame, que c'est là une bien méchante leçon que vous faisiez à votre fils. Ses grands yeux qui emmagasinnent les images sans les déflorer par l'analyse, ne demandent qu'à suivre cette succession de menus tableaux qui constituent la vie extérieure d'une grande ville. Toutes ces lignes en mouvement, ces jeux de couleur et de lumière, il ne demande qu'à les saisir.

Croyez-moi, s'il se retourne pour contempler, bouche bée, une accorte et rubiconde marchande de poissons, ou pour s'extasier sur une charrette ou les oranges, les raisins et les pommes font des taches chatoyantes, ne l'entraînez pas vers une vitrine bourrée de chapeaux ou de lingerie. Faites mieux, regardez aussi, et vous serez étonnée de la saveur que peuvent avoir toutes ces silhouettes de coin de rue. Le tumulte pittoresque d'un carrefour, un coin de Meuse irrisé de soleil, l'abandon confiant de deux bicoques vieillottes unissant leur pignon branlant, le jeu des lumières sur une échoppe de la place du Marché, toutes ces choses qui forment l'atmosphère d'une ville sont celles qui pétrissent l'âme wallonne, car, de les avoir senties, de les avoir goûtées, on connaît l'âme des choses du pays wallon et on l'aime.

Vous est-il déjà arrivé, le matin, vous trouvant sur le Pont des Arches, de regarder le quai de Maestricht ? Je vous avoue que, pour ma part, chaque jour je m'arrête à ce spectacle et que, chaque jour, je le goûte davantage. Lentement, comme engourdie encore par le sommeil, la Meuse coule, sans heurt, carressée par de petits rayons tout jaunes, qui ont grand peine à percer une brume bleuâtre. Et sur la rive, le quai de la Goffe étale toutes ses couleurs, toute sa vie, où les grands paniers de fruits semblent apporter une odeur de campagne mouillée de rosée. Plus loin, la berge est calme, longue, arrondie gracieusement au pied de la Citadelle qui l'auréole de vert, et la vieille architecture de la Maison Curtius, et les deux tours rousses de St-Barthélemy semblent nous dire que toute cette belle ville est un très vieil héritage, que le labeur des générations a paré pour nous réjouir.

Je vous le répète, chère petite bourgeoise, si sympathique malgré tous vos petits travers, laissez votre fils regarder à gauche et à droite ; laissez le se retourner, s'arrêter devant ces grandes pages de la vie et de l'activité wallonnes qui défilent sous ses yeux. Laissez-le buter les vieux messieurs ou les grosses dames, tremper son pied dans le ruisseau, pourvu qu'il ouvre tout grands des yeux avides, et que sa petite âme s'harmonise avec l'âme du beau pays wallon.

Georges SIM.

Extrait de « Noss Pèron » des 7-21 novembre 1920.

où il a vécu son enfance et son adolescence. On est frappé de constater combien il insiste avec doigté et sentiment auprès de la maman pour qu'elle permette à son enfant de saisir toute la richesse de la région où il va grandir.

Georges Sim y affirme avec force son identité wallonne, en exprimant toute sa fierté d'être wallon et de parler wallon. Tâchons de citer les phrases les plus essentielles de chacune de ces lettres. Il gronde tout d'abord la mère d'avoir giflé son enfant parce qu'il parlait wallon. Il lui écrit: «De grâce, ne le giflez plus ainsi. Laissez-lui tranquillement apprendre ce rude dialecte qui cadre si bien avec notre caractère. Vous craignez que le «wallon» déteigne et tache le «français» que sa petite cervelle contient déjà! Cela n'est pas sûr du tout. Bien au contraire; votre gosse est à l'âge où l'on emmagasine tant de choses sans les mêler»[5].

Dans la seconde lettre, Georges Sim revient sur le même thème, exhortant la maman à faire découvrir à ses bambins la ville qui les entoure, au lieu de les entraîner de magasin en magasin: «Au lieu de l'uniformité dorée des étals de magasins «chics», que ne leur montrez-vous les quelques coins pittoresques et bien liégeois de notre bonne ville. Elles sont encore nombreuses, ces échappées de vue sur un morceau de notre passé; l'amour du sol et de la ville natale, est fait, bien plus, de mille riens, de mille souvenirs, impressions ressenties que des plus subtils raisonnements de doctes régionalistes». Il décrit alors la cour du Palais, la place du Marché avec «notre» vieux Perron, et parle merveilleusement de la rue Pierreuse avec son pavé fantasque, ses seuils de pierre bleue où s'écoule la vie des habitants, les courses et les cris des bébés mal débarbouillés. À la suite de ces lignes, il s'exclame: «Que cela est plus intéressant que les vitrines bourrées de chapeaux à plumes ou de tissus barriolés; que c'est plus apte à faire éclore dans les jeunes cœurs l'amour du sol wallon, l'amour de notre bon vieux Liège!»[6].

Dans l'avant-dernière lettre, il conseille à la maman «d'acheter non des petits engins compliqués que bébé n'ose pas toucher», mais bien des «invraisemblables chevaux de bois, les botteresses barriolées, les pantins roses et souriants, (...) qui sont en rapport avec l'âme simple des enfants»[7]. Dans sa dernière lettre, Sim suggère à la maman, «à l'approche des chaudes veillées de Noël», de «faire revivre les bonnes fées, l'enchanteur Merlin et les nymphes» pour le plaisir de ses enfants. Et de dire : «Ne craignez pas l'audace de ces rêveries, l'irréel de la fantaisie ; l'irréel n'existe pas, puisque notre âme en est pétrie ! Racontez beaucoup de légendes, de vieux contes et d'histoires d'antan. Imaginez des choses folles, mais belles, et pures, et douces» [8]. Ce dernier conseil, Sim le suivra à la lettre, puisqu'il fait paraître dans le numéro suivant de Noss'Pèron un «conte inédit», daté en fait de 1919, qui a pour titre : *L'Histoire véridique de Céleste Noël, organiste*. C'est signé «Georges SIM». Il y narre l'histoire d'un enfant recueilli par le bedeau du village de Saint-Audin, situé en Hesbaye, non loin de Liège. Cet enfant, appelé Célestin Noël, deviendra organiste. Il créera un cantique de Noël. Aimé de tous, il vivra heureux jusqu'à sa mort, se vouant tout entier à ses orgues. Sim déploie dans ce conte une écriture fluide et claire, tout en donnant à son récit une charpente solide.

Noss'Pèron n'accueillera plus qu'un seul article signé de Georges Sim, dans son numéro du 19 février 1921. Il s'intitulera *Par les rues*. Sim y laisse éclater sa profonde sensibilité et, déjà, un sens de l'atmosphère. Les thèmes de la rue, de la pluie, de la femme sont ici mêlés en un texte d'une vie et d'une poésie inouïes. Les points d'exclamation et d'interrogation rendent fort bien l'intensité et la tension de la situation amoureuse, remplie d'incertitudes ancrées dans la relation même et, d'autre part, de craintes exprimées vis-à-vis du monde extérieur.

C'est de manière tapageuse que Sim se verra interdire les colonnes de Noss'Pèron. Au centre de la polémique, la loi du 31 juillet 1921, dite «Loi Von Bissing», par référence aux lois linguistiques de l'occupation allemande. Cette loi instaurait en fait un régime bilingue dans l'administration belge, au grand dam des francophones. Georges Sim prit part avec verve à une joute politique qui faisait les manchettes de l'époque[9]. À la colère des wallingants de Noss'Pèron, il prit la défense de la loi susdite. Après ses Lettres à une petite Bourgeoise, c'est à lui à présent à recevoir en pleine figure une *Lettre ouverte à Monsieur Georges SIM – Rédacteur à la Gazette de Liége*. Le journal wallon se montre grave et sévère : «Vous avez été des nôtres. Votre collaboration n'aura été qu'éphémère. À l'avenir, que vous le vouliez ou non, les colonnes de Noss'Pèron vous seront fermées». Et de justifier la décision par ces lignes : «Le compte rendu tendancieux et inexact, et systématiquement anti-wallon que vous venez de

Par les Rues

— C'est qu'elle commence à tomber drû !

— Mais non !

— Mais si !

— Qu'importe !

— Tu es trempé !

— Mouillé à peine ! Dis, qu'as-tu fait depuis lundi ?

. Dans le noir, dans l'eau, dans la boue, un fiacre passe à grands fracas, changeant les flaques d'eau en gerbes.

— Voilà ma robe éclaboussée !

— Le soir, on ne le remarque pas!

— Et puis, bah! Au fait, depuis quand es-tu là ?

— Dix minutes !

— Je t'ai fait attendre ?

— Si peu. D'ailleurs, te voilà. Donne ton bras !

— Oui, mais les gens ?

— Il ne passe presque personne...

Les pierres de taille détrempées s'alignent interminablement.

On entend des pas dans la boue...

— Tu m'aimes encore ?

— Mais oui, grand sot !

— Aussi fort !

— Plus encore ! Te voilà content ?

— Seulement, je voudrais t'embrasser !

— Et les gens ?

— Bah ! on n'y voit rien ! Il fait sombre.

Figés tous les quarante-cinq mètres, les réverbères clignent des yeux, sardoniquement, férocement. On n'y voit rien ? Attends un peu ! Tiens, en voilà de la lumière, et des reflets ! Encore ! Encore !

— Allons ! Il ne passe personne !

Bon ! D'où sort-elle cette vieille-là qui se retourne, l'air pudibond ! Et ces gens-là ! Ceux-là encore. C'est une gageure ! Une procession ! On n'est donc plus nulle part chez soi ! C'est qu'il en défile toujours, avec de grands yeux étonnés! Et tous ces réverbères qui rient. Sont-ils méchants ! Il pleut toujours. Encore un fiacre, et de la boue qui gicle autour.

— Dis, un baiser ?

La pluie crépite, les réverbères clignotent, des bruits de pas vont et viennent en vain...

... ... ? ...

— C'est vrai, hein, que tu m'aimes ?

— Mais oui !... Marchons !

Georges SIM.

Extrait de «Noss Pèron» du 19 février 1921.

publier dans la Gazette de Liége du 13 courant, n'est rien moins qu'une malhonnêteté journalistique». Après le détail de ses arguments, Noss'Pèron clôt les deux colonnes de critiques par un camouflet lancé à Georges Sim: «Avec les gamins, on ne discute pas, on... les fesse! À bon entendeur, Salut!». Signé Noss'Pèron. Bien que tout semble dit et bien dit, Noss'Pèron reviendra à la charge, ce qui prouve une rancœur mal digérée à l'égard de Sim. C'est un rédacteur nommé G. Defraigne qui prendra la plume et pourfendra notre garnement dans un article intitulé «M. Georges Sim for ever!» dans les éditions du 6 octobre 1921.

C'est bien logiquement en wallon que Noss'Pèron réglera une dernière fois ses comptes avec Sim. Dans un article portant le titre «Ine Sèyance à NOSS'PERON», Gérard Debraz, le metteur en pages de la Gazette de Liége, rapporte la colère de quelques rédacteurs de Noss'Pèron. Voici le texte traduit en français:

«SIM a, de nouveau, dénaturé les discours prononcés au banquet de...

– Écoute un peu, Gérard, nous ne pouvons pas nous laisser marcher sur le cou non plus, hein?

– Voilà, Joseph, je disais justement que SIM attaquait encore les Wallons dans la «Gazette de Liége».

– C'est dommage! J'aurais voulu lui rendre le soufflet qu'il a si impudemment donné à la Wallonie.

– On devrait le boycotter! Boycottons-le!

– Donne-lui des coups de pied si tu veux mais, pour l'amour de Dieu, parlons d'autre chose!

– Viens boire un verre, hein!

– Enfin! À la santé de Georges SIM!

– Laissons-le en paix, va... c'est un «suicidé» et, comme a dit «Mirbeau» de Paul Bourget: «Il est entré vivant dans... la mortalité!».

---

1. «Hors du Poulailler» des 19-20 mars 1922.
2. «Nanesse» des 16-22 août 1921.
3. «Nanesse» des 29 octobre - 4 novembre 1921.
4. «Les trois crimes de mes amis», Collection Folio, p.75.
5. «Noss' Pèron», «Lettre à une petite Bourgeoise», N°1, daté du 24/10 au 07/11/1920.
6. Id., N° 2, daté du 07/11 au 21/11/1920.
7. Id., N°4, daté du 05/12 au 09/12/1920.
8. Id., N°5, daté du 19/12 au 31/12/1920.
9. Lire «Un jeune reporter dans la guerre des journaux liégeois, Georges Sim», de Christian Delcourt, Liège, A. Vecqueray, 1977, 32 pp.

Lettre ouverte à Monsieur Georges SIM

Rédacteur à la *Gazette de Liége*.

Monsieur,

Vous avez été des nôtres. Votre collaboration n'aura été qu'éphémère. A l'avenir, que vous le vouliez ou non, les colonnes de *Noss' Pèron* vous seront fermées.

Le compte-rendu tendancieux, inexact et systématiquement anti-wallon que vous venez de publier dans *La Gazette de Liège* du mardi 13 courant, n'est rien moins qu'une malhonnêteté journalistique. En effet, alors que vos confrères se sont fait un point d'honneur de reproduire très exactement le fond et la forme des discours prononcés, vous, qui étiez ur des auditeurs les plus attentifs (nous avons constater), vous tronquez sciemment le cours de M. Sasserath, le vaillant défens[eur] nos idées à Ixelles.

M. Sasserath a dit: *BELGES CERTE[S]... lons toujours, Français quand même.*

En omettant volontairement les mo[ts] *certes,* prononcés en premier lieu, voulu envenimer le débat, en accusan[t] Wallons que nous sommes de pouss[er] [à la sé]paration.

Vous n'ignorez pas cependant, p[uisque vous] recevez *La Défense Wallonne,* bul[letin] de l'U. N. W., que le premier poin[t du] programme minimum est: *Pas d[...]*

Vous n'ignorez pas non plus [...] bulletin n. 13 d'août 1921, le Bure[au] de l'Assemblée Wallonne rappel[...] bres que: « Il convient d'éviter [...] » W. aux polémiques électoral[es ...] » placée au-dessus des partis. [...] » compter dans son sein des p[...]

» partenant aux divers groupes politiques. Tou-
» tes les opinions sont de même représentées
» parmi les membres de l'Union Nationale Wal-
» lonne. »

Vous mêlez donc la politique à nos revendications. C'est indigne!

Vous dites à vos lecteurs que, seules, les notabilités libérales assistaient au meeting. Vous y avez cependant vu, comme nous, les échevins catholiques Delville et Depresseux, ainsi que l'avocat Groven, conseiller communal. Et vous avez entendu lecture des lettres d'excuses du [...] député catholique de Nivelles, Max [...] [sy]mpathique député catholi[que ...] [...] M. Cousot, député [...] du séna-

---

M. Georges SIM for ever !

Les chiens hurlent... La caravane passe...

C'est à croire que certains blancs-becs cherchent à s'élever sur le pavois en salissant méchamment les hommes et en dénaturant sciemment les faits.

Après avoir bavé sur le meeting wallon des Variétés, un quelconque Georges Sim bave sur la fête de Wallonie. Ce jeune homme cherche la polémique pour se mettre en relief: au lieu de récolter la popularité, il pourrait bien pourtant, comme d'autres pêcheurs en eau trouble, récolter des horions! S'il ne remet gentiment (!) l'épée dans le fourreau, il apprendra, peut-être à ses dépens, qu'on ne brave pas impunément l'opinion publique!

Le lendemain du meeting contre la loi Von Bissing, nous avons pensé de lui: « C'est un sectaire inconscient ». Deux jours après, nous avions l'opinion, qui n'a fait que se renforcer depuis : « C'est un galopin cynique et mal intentionné, qui ne mérite qu'une bonne fessée!»

Nous regrettons cependant que la *Gazette de Liège* ait envoyé, pour la seconde fois, un reporter aussi peu scrupuleux à une manifestation wallonne. Nous émettons le vœu que le grand journal liégeois ne persiste pas dans son obstination : il y a là une question de pudeur et de tact.

G. DEFRAINE.

Extraits de «Noss Pèron», septembre-octobre 1921.

XIV

GEORGES SIM, CONTEUR ET HUMORISTE

« Monsieur le Coq » s'intéresse au roman

À propos de la littérature de son temps, Monsieur le Coq exprime des opinions claires et nettes, traduites avec humour. Mais surtout, on reste ahuri face à un Georges Sim qui, très jeune, percevait et pressentait parfaitement les tendances du roman de son temps. «Si chaque époque doit être jugée par ce qu'elle produit avec le plus d'abondance et de tenacité, je veux jurer que la nôtre s'appellera l'époque des romans et des cigarettes. Chaque jour, cent romans sortent de presse avec banderole des éditeurs, préface et avertissement de critiques de bonne volonté. Et de même que les cigarettes se réclament d'égyptianisme, les romans, peut-être de mode, doivent afficher un goût prononcé pour le bizarre, l'étrange, la névrose, que sais-je encore. Donc, on fume, on lit beaucoup, des choses courtes, excitantes et passagères comme des cigarettes. Le livre, avec le tabac, a pris rang parmi les aliments ou, plutôt, parmi les mille stupéfiants dont l'homme moderne a besoin pour se croire heureux. Mais que dans ma comparaison je fus cruel pour l'herbe à Nicot!!!»[1].

Oui, Georges Sim fume beaucoup, mais il lit ausi beaucoup, fréquente les libraires, et, peu à peu, il approche et apprend à connaître le monde de l'édition. Voici quelques lignes pertinentes, écrites, eh oui!, par le futur père du commissaire Maigret : «Le roman d'aventures, le roman planétaire, policier ou spirite, devient bel et bien un genre proprement dit. Il menace

Un Mari qui a tué sa Femme

Conte gai

Placide Lecorneur était un ami d'enfance, mais là, tout ce qu'il y a d'« enfance ». Figurez-vous que je ne l'avais plus revu depuis le lycée — que tout cela est loin, dirait Allais ! — lorsqu'hier soir je rencontrai sur le boulevard un de ces amours de petits ventres rebondis qui ne peuvent appartenir qu'à des gens heureux. Machinalement je suivis de l'œil cette proéminence abdominale, puis examinai l'individu. Si les rondeurs grassouillettes du ventre en question n'évoquaient en moi aucun souvenir, il n'en était pas de même des traits délicatement empâtés de chaires molles du visage qui le surmontait.

Après quelques minutes employées à me torturer les méninges, je reconnus enfin le personnage.

Est-il besoin de dire que j'allais à lui la main tendue :

— Ah ! Mon vieux Placide.

— !

— Voyons, tu ne me reconnais pas .

— Mais, attends donc... Gustave Floche, pas ? Mais oui, c'est cela ! Pas changé après vingt années.

— Tu me flattes !

— Que dirais-tu d'un petit verre, là, sur le pouce.

— Pas de refus...

Et le bon gros homme m'entraîna derrière une table de marbre, dans un petit café « d'habitués ».

— Deux fines !...

— Ben, mon vieux, si je m'attendais à te rencontrer ce soir.

— Et moi donc !

— C'est que tu es devenu délicieux tout plein. Sûr que tu ne souffres pas d'anémie.

— Pas précisément...

— Je vois cela ! Une vie douce, tranquille, sans soucis, rien de tel pour vous façonner une silhouette apollonéenne. Rien qu'à te voir, on a l'impression de se trouver devant un de ces rares spécimens d'homme parfaitement heureux ! n'as tu vrai !

Je ne résistai pas à apposer ma large main sur le ventre voisin en une tape toute amicale et bien française. Un soupir s'échappa de la graisse.

— Heureux, moi ! Tu te trompes bien, va, mon vieux !

J'ouvre ici une courte parenthèse pour dire que déjà le contenu de quatre petits verres avait disparu dans nos œsophages respectifs. Avec un charmant laisser-aller, Placide continua :

— Non, mais, tu ne peux pas te figurer quel malheur empoisonne ma vie, et cela depuis plus de quinze ans !

— Allons donc, serais-tu marié ,!

— Si ce n'était que cela !

— Quoi alors !

— Et bien, mon cher, j'ai tué une femme, ma femme, comprends-tu !

— Comment, toi, toi, un assassin !

— Pas précisément. Si je ne suis pas en prison, c'est que je n'ai pas mon épouse que moralement...

— Je n'y suis plus ! Voyons, raconte-moi cela par le menu...

Durant la succession ininterrompue des sœurs des « fines » précédentes, Placide s'épancha en ces termes :

— A vingt-cinq ans, donc, j'épousai une jeune fille charmante, attirant tous les regards et, qui plus est, douée du plus aimable caractère. Jusque là, rien de tragique, car les choses se passèrent normalement jusqu'au trentième jour après nos épousailles.

Ce jour-là, il faisait malheureusement un temps superbe.

J'étais douillettement allongé dans un confortable canapé, un canapé vert pomme — je le possède toujours !

C'était délicieux, rêvasser ainsi, en fumant une cigarette, tandis que Julie, ma femme, brodait auprès de la fenêtre. Je n'eus certes pas donné ma place pour un fauteuil à l'Opéra...

Je regardais tour à tour ma femme, la fumée de ma cigarette, la rosace du plafond, tout cela qui s'égayait d'un paisible rayon de soleil mourant... C'était si doux, si doux autour de moi... et mes jambes s'étiraient voluptueusement... Tout à coup, ma femme dit une phrase, la phrase qui devait entraîner tous nos malheurs.

— Placide, donne-moi un verre d'eau, veux-tu...

— Dans quelques instants, tu permets ! je suis si bien ici !

Ah ! c'était vrai que j'étais bien, et puis il n'y avait pas les eaux à l'étage, dans cette maison stupide. Comment ne pas mettre les eaux à l'étage !...

Ma femme ne semblait pas du tout contente de ma réponse.

— Allons, vas-y tout de suite, voyons, je meurs de soif !

Une remarque, en passant : deux ou trois fois par jour, les femmes meurent de quelque chose...

N'empêche que j'étais de plus en plus à l'aise sur le canapé. Un bien-être immense m'envahissait.

— Tu attendras bien une minute, n'est-ce pas...

— Non...

— Allons, sois raisonnable...

Je m'assoupissais presque... Je répondais d'une voix éteinte... Il faisait si bon rester ainsi !

— Tu n'y vas pas, alors !

— Pas maintenant !

— Tu refuses !

— Mais non, chérie, mais...

— Ah, c'est ainsi ! Voilà déjà que tu te révèles, égoïste comme tous les hommes ! Tu ne penses plus qu'à toi, après un mois de mariage. (sanglots) Je savais bien que tu ne m'aimais pas, tu ne peux pas m'aimer, car si tu m'aimais, tu aurais déjà été...

— Et puis zut, à la fin, j'y vais.

Oui, le mot était lâché, le charme rompu ; j'étais debout. Je me repens aujourd'hui de cette lâcheté... car c'est une lâcheté, mais, que voulez-vous, je puis voir pleurer une femme !

Lorsque je rentrai, le verre à la main, Julie me regarda d'un œil où je crus démêler une ombre de défi.

Huit jours après, elle me chargeait de commissions dans le quartier ; le mois suivant, je dus lui apporter le chocolat au lit... Que faire, après une première concession ! Le pli était pris...

Voilà comment ma femme fut appelée à porter le pantalon dans mon ménage, comment elle devint l'épouse insupportable, et moi le mari stupide qui... upporte tout !

Je dois même avouer qu'elle a déjà porté la main sur ma personne, et cela parce que la meilleure volonté du monde ne peut me faire confondre avec une caresse.

Et voilà mon chagrin... D'un verre d'eau a découlé tout mon malheur ! Je ne songe nullement à me plaindre de la vie de martyr que je mène auprès d'une véritable mégère. Non ! La cause de mes tourments, c'est le remords qui me hante sans cesse. Car c'est moi, le vrai bourreau de ma femme. C'est à cause de moi, de ma sotte faiblesse qu'elle est devenue un être insupportable, un personnage de vaudeville.

Son humeur intraitable, l'aigreur de sa bile et de son foie, c'est à moi qu'elle doit tout cela.

Bref, j'ai tué en elle toutes les qualités qui en eussent fait une épouse modèle, j'ai tué son moral, son cœur... Comprenez-vous ! j'ai tué ma femme !

En terminant son récit, Placide pleurait à chaudes larmes... Je tâchais de le consoler, tandis qu'il réglait les consommations... Depuis ce jour, je ne l'ai plus rencontré. Ainsi, je ne pus jamais savoir si son histoire lui avait ou non été inspirée par les capiteuses volutes d'alcool virevoltant en son cerveau... Je ne le sus jamais, car je n'osai affronter le logis gardé par l'épouse décrite. On ne sait jamais, n'est-ce pas !

Georges SIM.

Extrait de la «Gazette de Liége» du 24 juin 1920.

même, avec l'aide du cinéma, de devenir envahissant et de prétendre à la prépondérance»[2]. Doté d'une si fine connaissance, d'une aussi bonne intuition, rien d'étonnant de constater que Georges Sim connaît déjà fort bien – trop bien – les mauvais sentiments que les gens lettrés entretiennent envers le roman policier: «Il est coutume parmi les gens cultivés de mépriser le roman d'aventures et de se rire de l'invraisemblance des contes de Gaston Leroux, de Maurice Leblanc, et d'autres encore, spécialistes de l'inédit. Quelles histoires plus baroques, cependant, plus incroyables que celles qui nous sont révélées par les faits divers?»[3].

Sim écrit ses premiers contes

Déjà au temps de la Gazette, Georges Sim apprend son métier de conteur et de nouvelliste. Avant que Colette ne lui lance, lors de ses débuts à Paris, la fameuse interjection: «Mon petit Sim, pas de littérature! Supprimez toute la littérature et ça ira!», Georges Sim se cherche à tâtons à Liège, noircissant des pages et des pages. En quatre années, il publiera dans les colonnes de la Gazette de Liége une vingtaine de contes et de nouvelles. Parfois placés sous l'avant-titre *Contes épars,* il les signe tous *Georges SIM.* Il y crée ses tout premiers personnages. Il s'amuse à relater, toujours par le petit bout de la lorgnette, avec une ironie infinie, des bouts de scène de sa vie quotidienne. Déjà, Georges Sim observe son entourage avec soin, emmagasine ce qu'il entend, ce qu'il voit, et jette tous ces petits scénarios sur le papier.

Georges Sim tire son inspiration, par exemple, des petites querelles auxquelles il assiste chez ses parents. Dans trois contes, il décrit à chaque fois un mari dominé, et même méprisé par sa femme, comme l'était son père. N'est-ce pas un thème qui deviendra central dans l'enfer simenonien: le couple au sein duquel l'entente n'est jamais possible, où une guerre d'usure sape lentement la relation. Il suffit de relire *Le chat.*

La mère de Simenon avait sans doute l'habitude de lancer à son mari, tout comme l'épouse campée dans le conte *Eugénie, prends ton parapluie!*: «On voit bien qu'après ton dîner, tu n'as plus qu'à t'asseoir et à bailler dans un fauteuil!»[4].

De même, dans le conte gai intitulé *Un mari qui a tué sa*

femme, Sim rencontre un vieil ami qui lui raconte «comment ma femme fut appelée à porter le pantalon, comment elle devint l'épouse insupportable, et moi le mari stupide qui ...supporte tout!»[5].

L'*Histoire d'un Napoléon couronné!* nous présente également un pauvre mari, employé comme le père de Simenon, qui a pour son malheur accepté dans un commerce une fausse pièce de monnaie. Rentré chez lui, il se fera arroser d'injures par sa femme, pingre comme la mère de Simenon: «Faut-il être stupide pour accepter une pièce fausse! Vous êtes tous pareils, vous autres, employés, qui vous dites intellectuels. (...) Ce n'est pas moi qui jette ainsi l'argent par les fenêtres» [6]. Épinglons les noms et prénoms que Sim a choisi pour les personnages de ses contes: Placide Lecorneur, l'infortuné mari; Joseph et Amélie et, d'autre part, Léon et Eugénie, avec leur enfant ...Jules! Simenon n'a jamais non plus supporté les bavardages incessants auxquels se livrait sa mère, Henriette Brüll, particulièrement avec ses tantes. Il s'en moque dans le conte qui porte pour titre *Comment elles tuent le temps!,* révélateur de son exaspération.

Dans deux autres contes, Sim rencontre un «vieil ami» qu'il n'a plus vu depuis longtemps. Celui-ci lui raconte comment il a réussi à faire fortune. Là encore, c'est un thème très simenonien que celui de l'arrivisme.

Le conte *L'Oeillet Blanc* met en scène «Monsieur Zephyrin Flanchet» qui est parvenu à s'enrichir en détenant l'exclusivité d'un parfum[7]. Ailleurs, Sim détaille *Une Idée de Génie,* celle de son «ami Duplan»: «Ah mon bon Duplan!», s'exclame-t-il, en le croisant en rue. Cet ami, quant à lui, a réussi dans les affaires en récoltant «sur les trottoirs les gommes anglaises déjà mâchées». Il les revendait «aux fabricants» et ces gommes, grâce à «des mains habiles, redevenaient présentables»[8].

Tous ces contes sont d'une grande fraîcheur, primesautiers, tout remplis de traits d'humour et d'ironie naïve. Citons les titres des quelques autres contes: *Jojo, Plus fort que le Maître!, Bourlingue marie ses Filles, Le Langage des Cravates, Oh, Mademoiselle..., Nous sommes quittes...,* etc.

Dans le conte *Du feu s.v.p.,* Sim demande au lecteur au travers de quelle situation sociale les hommes font montre d'une extrême amabilité. Réponse: «Prenez donc une pipe, dit-il, bourrez le fourneau de tabac et tenez-la à la main. Si vous préférez une cigarette, l'effet est le même. Approchez-vous d'un monsieur qui déguste lui-même l'haleine d'une bouffarde ou d'un havane. Soulevez délicatement le rebord de votre chapeau et articulez:

– Pardon, Monsieur, pourriez-vous me donner un peu de feu? (...). La plupart du temps, il vous répondra:

– Mais avec plaisir!

Ou bien:

– Je vous en prie!»[9].

Étonnante phrase que celle épinglée à la fin du conte *Pas de Chance!* dans lequel Sim incarne un pauvre hère qui n'a plus de logement. Ce personnage essaie, en vain, de se faire envoyer en prison en agressant un passant. Sim déclame, plein d'optimisme: «Je suis persuadé qu'un matin, un brave homme de commissaire de police me conduira vers l'appartement de mes rêves»[10].

Sim court les éditeurs

Au Pont des Arches

À la Gazette de Liége, Georges Sim fricote au nez en fraise et à la barbe de son patron, Joseph Demarteau III, un petit roman humoristique de mœurs liégeoises qu'il intitule *Au Pont des Arches*. Le romancier Simenon se souvient «de la table, ou plutôt du guéridon en acajou sur lequel je remplissais des pages d'une toute fine écriture. Lorsque, beaucoup plus tard, je suis retourné à Liège, il n'était plus chez ma mère». Quand Simenon reçut le manuscrit de ce petit roman de la part d'un ami, il s'exclama: «J'ai été stupéfait de m'apercevoir qu'après si longtemps mon écriture n'avait nullement changé, qu'elle était restée aussi petite, aussi mince et aussi nette»[11]. Il y déchire à belles dents «ceux-là qui venaient de me tendre une main cordiale et indulgente»[12].

D'une plume incisive et moqueuse, il y griffe au passage Joseph Demarteau, son directeur: «Joseph était plongé à nouveau dans la lecture de «son» journal. Avec sa redingote noire et polie, sa barbiche grisâtre qui finit en pointe, mais commence un peu partout sur son visage, Joseph Planquet a un aspect vieillot».

C'est précisément à dix-sept ans et demi, en septembre 1920, que Georges met la dernière main à sa première œuvre et se met à la recherche d'un éditeur. Bien plus tard, ce sont les éditeurs qui courront après lui! «J'ai couru les éditeurs, les imprimeurs, j'ai remué ciel et terre avec la merveilleuse inconscience de la dix-septième année. L'auteur d'une œuvre de poids, dans notre petite ville, ne serait sans doute pas parvenu à se voir imprimé noir sur blanc. Le gamin que j'étais y est arrivé, je me demande encore comment»[12]. C'est l'imprimerie liégeoise Bénard – société anonyme depuis la mort d'Auguste Bénard (1854-1907) – qui acceptera d'imprimer son *Pont des Arches* à la condition qu'il trouve quelque trois cents souscripteurs. Il est savoureux à ce propos de lire les lignes de Monsieur le Coq, écrites – comme c'est curieux – en novembre 1920: «La mode est, aujourd'hui, de frapper à la bourse des gens, la main armée d'une liste de souscription». C'est gagné: début 1921, le livre sort de presse, «un peu maigre, un peu pâlot et, tout naturellement, je n'ai rien eu de plus pressé que de l'adresser, avec dédicace, à mes victimes, à commencer par mon directeur et par mon oncle à héritage». Ce sont quatre de ses amis peintres qui se sont attelés à illustrer son œuvre, croquant avec réalisme les principaux personnages de ce petit roman. Citons ces quatre artistes: Luc Lafnet (1899-1939) qui a réalisé, entre autres, la couverture; Jef Lambert (1900-1948), Joseph Coulon et Ernest Forgeur (1897-1961). La parution du livre était annoncée dans les aubettes sous forme de petits placards publicitaires.

Ce tout premier roman reçut une critique favorable de la part du journal wallon Noss'Pèron. Heureusement pour lui, Sim n'avait pas encore eu maille à partir avec la revue. Octave Servais écrit – sous la rubrique «Livres, Journaux» – des lignes nuancées mais, dans l'ensemble, fort élogieuses à l'égard du Pont des Arches de Georges Sim.

«Lorsque j'avais quinze ou seize ans, j'étais persuadé que je ferais une carrière d'humoriste. Mon premier roman: «Au Pont des Arches» était un roman qui se voulait humoristique. Il se passait en grande partie dans une pharmacie spécialisée dans les pilules purgatives pour pigeons. Cette pharmacie existait»[13]. À travers les publicités parues dans les journaux de l'époque, nous avons remarqué qu'il existait un magasin de vêtements pour dames et messieurs qui se dénommait justement «Au Pont des Arches»... Or, le jeune reporter avait l'habitude d'entrer «dans la première rue venue tout comme si j'étais un explorateur se risquant dans la brousse. J'ai même retenu le nom qui était inscrit à cette époque au-dessus des magasins. Je peux avouer que je me suis servi de ces noms pour des personnages de romans» [13].

Jehan Pinaguet, histoire d'un homme simple

«Lorsque j'avais dix-sept ans, j'ai écrit une sorte de roman plus ou moins picaresque qui s'intitulait *Jehan Pinaguet*. Pourquoi Jehan? Parce que, dans mon esprit, cela faisait très moyen âge, comme cette maison, la plus ancienne de Liège, au bord de la Meuse, où ce même Jehan a eu pendant un certain temps sa chambre sous les toits» [12].

«Il s'agissait des pérégrinations d'un homme simple et assez fruste, les yeux avides du spectacle de ma bonne ville de Liège, aux narines larges ouvertes aux odeurs du marché, aux fruits et aux légumes, dont la passion était de baguenauder dans les rues, tour à tour cocher de fiacre, puis garçon de café, puis commis de librairie» [14]. «Je voulais donner une image du Vieux Liège. Je lisais beaucoup Rabelais. J'avais lu *La Rôtisserie de la Reine Pédauque*. Autrement dit cela n'avait rien d'original. Pourtant, c'était déjà dans mon caractère car, moi aussi, j'ai passé ma vie à humer les odeurs, à regarder les lumières et les reflets, les taches d'ombre et les taches de soleil, les visages butés, ignares ou douloureux. Jehan Pinaguet a failli être publié. Une femme sur le retour qui tenait une imprimerie s'était prise d'intérêt pour moi et m'offrait de l'éditer à son compte» [11].

Quand il relira cette œuvre de jeunesse, Simenon sera souvent irrité par «le style redondant et quelque peu archaïque, comme le prénom Jehan, et aussi une abondance incroyable d'adjectifs» [14].

Jehan Pinaguet «était devenu l'ami d'un vieil écclésiastique qui avait été curé en son temps mais qui, sentant le fagot, et sentant aussi le vin et le genièvre, s'était vu retirer ses fonctions tout en gardant le droit de célébrer la messe de six heures du matin dans une institution religieuse. C'est ce curé, alors que j'avais déjà trouvé un éditeur, qui devait me faire déclarer un beau matin par mon rédacteur en chef:

– Mon petit Sim, vous avez le choix. Ou bien vous publiez votre livre et vous nous quittez, ou bien vous y renoncez et vous restez avec nous.

Comme je ne savais rien faire d'autre que le métier de reporter, j'ai renoncé»[14].

Voici quelques lignes qui tentent de rendre l'atmosphère de ce récit haletant, en respectant les fautes de style et les imperfections qui, dans l'original même, existent de manière similaire.

Jehan Pinaguet est témoin d'une bagarre entre deux commères au beau milieu d'un marché. Il court comme un lièvre jusqu'à l'attroupement, joue du coude et arrive au premier rang. Que voit-il? Par terre étaient écrasées, éparpillées, de merveilleuses prunes, toutes mûres! Il aurait pu en remplir un plein panier! Le fond du débat était justement le suivant: la marchande réclamait à la femme le prix du panier de prunes qu'elle venait de renverser. Enfin, si l'on peut parler de débat! Car, en réalité, ces dames s'échangeaient des noms d'oiseaux. Et ce dans toutes les langues! Ces injures frappaient le visage de l'une et de l'autre, fouettant l'air par l'unique féérie des mots. Pinaguet pouvait se régaler du spectacle: quels muscles et quelles chairs possédait cette commère! Se relevant un moment, la femme lui donna l'occasion d'apercevoir, par une fente entrouverte, des aiselles dégoulinantes de sueur. Il ressentit de l'admiration à voir ces seins qui, fort lourds, élargissaient la blouse et à voir ces dents qui brillaient à la lumière. Ces deux femelles vociféraient quand – soudain – une clameur se fit entendre parmi la foule. «La police!», cria quelqu'un au moment même où un sergent apparaissait devant ces deux enragées. Celui-ci voulut savourer cette situation dans laquelle le regard de chacun était sur sa personne: il retira, d'un geste étudié, son carnet blanc d'une de ses poches.

Suite à cette ténébreuse affaire, Jehan Pinaguet est convoqué comme témoin au tribunal. Que se passe-t-il? Jehan ressent de violents picotements au-dessous de… son ventre de mâle: la commère, à cause du soleil et de la chaleur, vient de réveiller un appétit féroce. Ce qu'il désire alors, ce n'est pas tant la femme que la chair. Gêné d'avoir des idées mal placées dans un lieu si sévère, Jehan Pinaguet n'arriva pas cependant à les faire fuir. Quand la voix du commissaire hurla: «Jehan Auguste Timotée Pinaguet», il ne put se détacher totalement de ce tourment physique. Au milieu d'un brouillard de fumées, le grand maître lui lança:

– Que pouvez-vous dire de la bagarre?

imenon est de retour pour la toute première fois à Liège en mai 1952. Il ne peut cacher son
onheur de revoir M. Demarteau III, le "patron" qui lui donna sa chance. À sa droite,
eorges Rémy, un de ses anciens confrères; à sa gauche, sa seconde épouse, Denyse
uimet. (Photo Robyns-Desarcy).

e mardi 6 mai 1952, un seul événement mérite les huit colonnes de la une : le retour du petit
im. La *Gazette* était réellement sa seconde famille. (Photo Planchar).

MARDI
6 MAI 1952

Gazette de Liége

MIDI ★ ★

113ᵉ ANNÉE - N° 106 - 8 pages   QUOTIDIEN D'INFORMATION   1,75 fr. le N° - C.C.P. 16.128   Tél. 43.45.97

eorges Simenon a retrouvé la "Gazette,,

Il a fait battre le cœur d'Outremeuse

et a pleuré en revoyant son vieux professeur

UNE IDÉE NETTE

situation écor omique
en Belgique

Simenon s'étonne de reconnaître tous ceux qu'il a connus jadis à la Gazette. Il revoit même Jules Swegerynen, le chef d'atelier avec lequel il déroba une caisse à l'Hôtel de Ville de Liège. (Photo Robyns-Desarcy).

Dans les ateliers de la Gazette, Simenon n'a pas pu résister à la tentation. Il a relevé ses manches et, la pipe aux dents, s'est mis à taquiner le marbre. (Photo Robyns-Desarcy).

...nenon flâne en mai 1952 dans les rues d'Outremeuse sur les traces du passé. N'était-il pas ...mme ce gamin, maigre et affamé de vie? (Photo Robyns-Desarcy).

...nenon ne pouvait cacher sa joie d'être à nouveau aux côtés de son "patron", Joseph ...emarteau III, et de son ami, Georges Rémy, dit Georges REM. «Qu'il est bon d'être à ...ège!», s'exclama-t-il. (Photo Robyns-Desarcy).

ns les jardins du *Clou Doré,* au Mont-Saint-Martin, Simenon s'entretient avec son ami
tor Moremans, critique littéraire à la Gazette de Liége. Derrière eux, l'église Saint-Jean
es toits de Liège (Photo Robyns-Desarcy).

Palais de justice de Verviers, lundi 5 mai 1952. Simenon ne rit pas. Il est accompagné de sa femme et de Me Garçon, le célèbre avocat parisien. Un médecin verviétois le traîne devant les tribunaux parce qu'il l'a cité dans *Pedigree*. (Photo Robyns-Desarcy).

Ouf! L'audience est terminée! Simenon se désaltère dans un café verviétois. Il n'aurait jamais cru être poursuivi en justice par ceux qu'il citait dans *Pedigree*. (Photo Robyns-Desarcy).

MIDI

113° ANNEE - N° 109 - 8 pages ■ QUOTIDIEN D'INFORMATION ■ 1,75 fr. le N° · C.C.P. 16.128 ■ Tél. 42.46.97

Gazette de Liége

VENDREDI
9 MAI 1952

OU bien ce soit l'inéquité dans l'abondance, ou l'équité dans la misère.
Winston CHURCHILL

G. SIMENON dit adieu à la « Gazette de Liége »

Les adieux de Simenon à sa ville natale.

Le 9 mai 1952, c'est le grand départ. Avant de retourner aux États-Unis, Simenon rédigea un billet *Hors du Poulailler* comme jadis, plein de verve et d'esprit. (Photo Planchar).

Hors du Poulailler

JE voudrais poser à Monsieur le Bourgmestre de Liége une question qu'il jugera peut-être impertinente : sommes-nous protégés comme nous avons le droit de l'être contre certains personnages sans aveu, venus on ne sait d'où dans l'intention évidente d'abuser de la crédulité publique ? Si la Violette, m'assure-t-on, est bien gardée, notre bonne ville l'est-elle aussi ?

Sans attendre le haussement d'épaule de notre plus haut magistrat communal, je n'hésite pas à répondre non. Et je le fais, une fois de plus, en toute connaissance de cause.

Depuis quelques jours, en effet, on peut voir rôder un individu, descendu dans un de

---

LES TRIBUNAUX

Le romancier
Georges SIMENON
EST CONDAMNE

Le Tribunal civil de Verviers a rendu lundi matin son jugement dans le procès intenté par le docteur Chaumont, de Verviers, au romancier Georges Simenon, qui l'avait mis en cause dans son ouvrage « Pédigrée » et M. Beaufays, directeur de « Face à Main ». Le jugement, longuement motivé retient que Simenon a identifié clairement le demandeur dans son livre, mais qu'en espèce, le dol spécial n'existe pas ; que l'intention de nuire fait certainement défaut ; il semble qu'il n'a pas respecté la vie privée de M. Chaumont, qui, de ce fait, a subi un préjudice moral certain. Par ces motifs, le Tribunal condamne Simenon et Beaufays à 6.000 fr.

de dommages et intérêts plus intérêts légaux. Sur cette somme, Simenon devra en outre supprimer ou faire supprimer dans « Pédigrée » tous les passages litigieux et à défaut de ce faire, le demandeur pourra faire saisir les publicités où son nom figurerait. Le Tribunal fait défense à Simenon de faire éditer ou publier à l'avenir les mentions sus-visées. Quant à Beaufays, il devra faire publier le jugement dans « Face à Main » dans les 15 jours ou à défaut, payer au demandeur 5.000 fr. par jour de retard. Les demandes reconventionnelles sont rejetées et l'exécution provisoire du jugement est ordonnée.

Gazette de Liége livre à lecteurs le jugement ndu dans l'affaire qui pposait Simenon à un rviétois. Pour la pre-e fois, le "petit Sim" parler de lui dans la brique des tribunaux l était le responsable trefois. (Photo Planchar).

LE PERE DE MAIGRE
à la « Gazette de Liége »
OU IL FUT REPORTE!

Le grand romancier Georges Simenon à qui Province de Liège a décerné son Prix Septenn pour l'ensemble de son œuvre — prix attribué po la première fois — sera très prochainement da nos murs.

Nous apprenons avec un plaisir tout particul que Georges Simenon rendra visite à ses ancie amis de la « Gazette de Liége », 32, rue des Guil mins, où il fit ses premières armes.

Cette visite se fera vraisemblablement da l'après-midi du jeudi 12 octobre.

Avis à ceux qui seront ce jour là dans le quarti des Guillemins.

À son second retour, Simenon sera reçu comme une vedette. La Gazette annoncera sa venue, exhortant les lecteurs à venir le saluer au journal même, installé dans le quartier de Guillemins. (Photo Planchar).

Malgré tous les honneurs, ce ne sera plus jamais pareil: Simenon apprend que son anci «patron», Joseph Demarteau III, est décédé en 1959. (Photo Planchar).

Simenon revenu dans son vieux quartier
a reçu le prix septennal de la province de Liége

Liège a vécu hier sa « journée Georges Simenon ». Une série de manifestations marquaient en effet la présence dans notre ville de notre célèbre concitoyen. Vendredi matin, Georges Simenon a inauguré, dans son ancien quartier d'Outremeuse, la bibliothèque communale qui porte son nom.

LA PIPE DE « MAIGRET »
ou
le plus illustre romancier d'aujourd'hui

Quand le Rédacteur en chef de la Gazette de Liège attira...

Le « Petit Sim »
retrouve
la Gazette

Le père de Maigret est revenu au journal. Car pour lui, nous avouait sa charmante femme, après tant d'années, la « Gazette » reste toujours « le » journal.

Cette fois encore, le « petit Sim » est revenu « humer l'encre » comme il dit.

Nos lecteurs ont pu voir, dans nos précédentes éditions, des clichés évoquant ces sympathiques retrouvailles.

En l'absence de M. Demarteau, souffrant, c'est Monsieur A. Schaus, Chef des Services de Rédaction, qui accueillit notre ancien confrère et sa charmante épouse.

M. Victor Moremans, Chroniqueur Littéraire, qui assista aux premiers pas de son ami Georges dans la profession de journaliste lui dit sa joie de le revoir si fidèle à son ancienne maison.

Georges Simenon, qui vient de recevoir le Prix de la Province, est félicité par le gouverneur, M. Clerdent.

Les joues brûlantes, les oreilles criant de douleur tant elles étaient allumées de désir, touchant la commère du coude et de la jambe, Jehan prit une voix qu'il ne connaissait pas:

– Monsieur, au moment où je suis tombé sur cette bagarre, cette Dame (il indiquait la marchande) serrait.... cette autre par le chignon et la jupe. Il y eut même un instant où elles étaient enchevêtrées, puis ce policier arriva.

– Vous ne savez pas plus?

– Non!

– Vous n'avez pas entendu hurler: «Chapardeuse»?

Ni l'une ni l'autre des deux commères n'était contente de ce témoignage qui n'était favorable ni à l'une, ni à l'autre. Elles souhaitèrent parler de nouveau, mais – le commissaire qui se recueillait en tirant de petites bouffées de sa pipe – leur interdit d'un signe.

– À ce que je constate, lança-t-il gravement, vous n'êtes innocente aucune des deux. Cette fois-ci, cependant, je ne punirai pas. À propos des prunes, il s'adressa à la cliente, vous en verserez la moitié du prix, soit quinze francs vingt. Maintenant, vous êtes libres: allez!

Convoqué au tribunal, Jehan Pinaguet fut déçu par le jugement qu'il jugea trop prosaïque. La justice descendit de plusieurs marches du piédestal où son esprit l'avait posée. Dorénavant, le mot «justice» lui rappellerait une salle remplie de fumées de cigarettes et de lumière, avec un grand bureau noir, une pipe d'écume et des fourmillements dans les jambes...

Les Ridicules

Pour la «réjouir pendant son absence», Georges Sim adresse «À sa Régine pour ses étrennes» une galerie de portraits caricaturaux de ses amis artistes-peintres qui, à l'époque, faisaient partie de «La Caque». Ce fascicule est daté des 24-25 novembre 1921. Les événements se bousculent et s'accélèrent dans la vie de Georges Sim. Tout le mois de décembre 1921, il le passera en Allemagne, effectuant ainsi le tout début de son service militaire. Cette année-là, l'hiver est d'un froid sibérien. Mais il y a bien pire! Entre la sortie des Ridicules et son départ pour l'Allemagne, le malheur le frappe de plein fouet: le 28 novembre, son père, Désiré Simenon, qu'il aimait et admirait tant, meurt à la suite d'une angine de poitrine. Ce drame déchire la famille Simenon, alors que *Les Ridicules* viennent de sortir de presse et se baladent à Liège, avec leurs mines patibulaires. Vrai, ce sont des portraits grinçants, croqués sans concession. À les lire, on ne peut que se dire: quel règlement de comptes! Ou tout au moins: quelle raclée! Sim rosse ses amis peintres d'une manière éclatante, leur offrant une image d'eux-même fort peu élogieuse. Sim met le doigt sur les failles de leur caractère et tourne avec bonheur son couteau dans les plaies, à la manière de l'enfant qui arrache en toute innocence les ailes d'une mouche. Comme Simenon le dira plus tard: «On a, à cet âge-là, des véritables trésors de férocité à dépenser».

Par ailleurs, il contera lui-même: «Du temps de La Caque, à Liège, j'ai écrit un fascicule dans lequel je faisais un portrait assez acide de mes amis et de moi-même, et je ne m'épargnais pas puisque, dans la dernière page, je disais que le plus ridicule de tous était moi. Ce fascicule a été composé à la main à la Gazette de Liége et imprimé sur du très beau papier à la presse de bois. J'en ai donné à chacune de mes victimes, c'est-à-dire dix ou douze en tout»[15].

«Il n'y avait rien de méchant dans le portrait de mes amis. Sans aigreur, je les décrivais tels que je les voyais et probablement pas tels qu'ils se voyaient eux-mêmes. Pourtant, pendant plusieurs mois, je m'en suis voulu d'avoir écrit ce fascicule et je me sentais gauche, parce que coupable, chaque fois que je rencontrais une de mes victimes»[16].

Le peintre Luc Lafnet sera du nombre. Il ne cite jamais le nom de celui dont il révèle les travers, les dessous et les vices. Mais Sim livre à sa Régine tant de traits de chaque rapin, sous des lumières si diverses, avec une palette de tons si large, que les reconnaître devait être un jeu d'enfant pour celle-ci. Il se raille des apparences physiques de Luc Lafnet, lui si beau, si fin, si doux, au regard raccoleur. Il sabre ses enthousiasmes brusques et violents: il suffit d'un seul mot, et le voilà qui s'enflamme! Sim va jusqu'à emprunter, pour mieux s'en moquer, le registre favori de ses discours qui, en l'occurrence, tourne autour de la spiritualité. Les mots «âme, souffle, éternité, au-delà» reviennent sans cesse dans sa bouche et, chaque semaine, ces mots revêtent un sens différent! Il lui suffit de lire un livre pour s'approprier d'une heure à l'autre les idées de l'auteur. De même, il lui suffit de quelques minutes pour voler à celui qu'il rencontre tout ce qu'il a dans la cervelle!

N'est-ce pas là le portrait d'un pilleur d'idées, d'un homme virevoltant au gré des situations, d'une girouette intellectuelle, d'un homme aux idées insaisissables, qui n'arrive pas à penser par lui-même?

Sim n'épargne aucunement ses victimes. Il ne fait pas dans la dentelle; il use d'une encre au vitriol qu'il jette à la figure de ses amis sans crier gare, sans prendre aucun ménagement préalable, aucune précaution amicale. C'est la douche froide!

Il se donne l'entière liberté de déverser sur le papier ce qu'il pense et ressent foncièrement à l'égard de chacun. La franchise entière, jointe à l'ironie, prend une force terrible qui a dû, très certainement, faire des ravages et, peut-être, laisser des séquelles. Il semble que chaque victime des Ridicules déchira le fascicule de rage et de colère. C'est là sans aucun doute l'œuvre de Simenon la plus rare à dénicher.

Bouton de col, une satire du roman policier

Devenir humoriste! Tel était à cette époque le rêve de Georges Sim. Son registre préféré fut, sans nul doute, l'humour railleur, persifleur, malicieux, quelquefois même sardonique et acide. Nous l'avons vu étriller ses proches et ses amis, tant dans le *Pont des Arches* que dans *Les Ridicules*. Jacasser dans les colonnes du journal satirique *Nanesse* avec fougue sur le compte de la Gazette de Liége, et, de plus, s'ingénier à y railler des hommes politiques (Fraigneux et de Géradon). Nous l'avons vu déverser ses humeurs dans son billet quotidien *Hors du Poulailler,* caquetant à l'envi. Iconoclaste infatigable, pourfendeur de toute autorité, que lui restait-il à brûler, à descendre de son piédestal, si ce n'est ce qui l'attirait déjà, mais de manière confuse et ambiguë: le roman policier et ses grands maîtres! Il s'y emploiera en dernier lieu, au cours de l'année 1922, avant de monter à Paris. Ce roman *Bouton de col* était sous-titré: *Roman humoristique.*

Après *Au Pont des Arches* (1921), «mon ami Moers H.J., qui était reporter dans un journal concurrent (La Meuse), m'a décidé à écrire avec lui un roman qui serait une satire du roman policier. Pourquoi le roman policier? J'ignore d'où cette idée est venue. Je n'en lisais pas. Peut-être un ou deux Maurice Leblanc et un Gaston Leroux?»[11]. Il ne lui fallait pas courir bien loin pour lire: leurs romans passaient sous forme de feuilletons dans les pages de la Gazette de Liége. Ainsi, par exemple, Georges Sim put lire sans trop d'efforts *Les Confidences d'Arsène Lupin, Le Triangle d'Or, Arsène Lupin, Gentleman-Cambrioleur*. En outre, il reconnut avoir pour modèle à l'époque Rouletabille.

«Or, poursuit Simenon, nous nous sommes mis réellement à écrire ce roman policier soi-disant comique ou tout au moins ironique. C'était le Bouton de col. Il y a quelques années, Moers en a retrouvé le manuscrit qu'il m'a gentiment envoyé. J'ai essayé de le relire. Je ne suis pas arrivé à la fin de la quatrième page. Si, parmi les manuscrits qu'on m'envoie, il y en avait un aussi mauvais, je me croirais en devoir de répondre à l'auteur de faire n'importe quel métier, fût-ce éboueur, en aucun cas de la littérature, même humoristique»[11]. Georges Sim et H.J Moers concoctent ce «roman» – qui demeurera inachevé – en se le passant sous le manteau l'un à l'autre, le tapant tantôt à la machine, tantôt l'écrivant à la main. Les pages manuscrites révèlent une écriture serrée, nerveuse, et sont merveilleusement remplies de ratures et de taches. On imagine, derrière ces lignes bourrées de fautes d'orthographe, de maladresses et de fautes de style, tous les rires et fous rires des deux adolescents. Quelle aventure épatante! Dans ce roman, Sim (ou H.J. Moers) décrit, entre autres, un détective anglais, âgé de 30 à 40 ans, qu'il dénomme «Gom Gutt». Il jouit en France, dit-il, d'une réputation qu'éclipse seule celle du maître Sherlock Holmes. Ils s'amusent à dépeindre ce personnage dans des situations grotesques, tout à fait hilarantes tant leur récit est fantasque.

C'est sous le pseudonyme de «Gom Gut» que Georges Sim écrira à Paris, entre 1925 et 1928, dix-huit romans populaires. Les traits d'humour fusent dans un désordre parfait: ce Gom Gutt a emprunté les gestes, la pipe et jusqu'à la redingote de Sherlock Holmes!

Ce bout de «roman policier», mal ficelé, mal charpenté, incohérent et désordonné, en partie volontairement chaotique et désarçonnant, est le brouillon, l'embryon de l'œuvre à venir. Le commissaire Maigret tire sa prime origine de ces limbes-là. Mais à cette époque-là, Georges Sim n'a encore trouvé que le *Bouton de col* de Maigret!

GEORGES SIM, CONTEUR ET HUMORISTE

1. «Hors du Poulailler» du 26 janvier 1922.
2. «Hors du Poulailler» du 24 juin 1922.
3. «Hors du Poulailler» du 19 janvier 1920.
4. «Eugénie…», 10 juin 1920.
5. «Un Mari qui…», 24 juin 1920.
6. «Histoire d'un Napoléon…», 7 août 1920.
7. «À l'Oeillet Blanc», 18 novembre 1919.
8. «Une Idée de Génie», 14 novembre 1919.
9. «Du feu s.v.p.», 26 juillet 1922.
10. «Pas de Chance!», 1er juillet 1920.
11. Dictée «Un homme comme un autre», 1975, p.17 et pp.258-259.
12. «Le Romancier», 1960, pp.83-84.
13. Dictée «Au-delà de ma porte-fenêtre», 1979, p.168.
14. Dictée «On a dix que j'ai soixante quinze ans»,1980, pp.52-54.
15. Dictée «Point-virgule», 1979, p.79.
16. Dictée «Jour et Nuit», 1981, pp.25-26.

XV

LES DERNIÈRES AMARRES SE ROMPENT...

La mort de son père

Le tout premier des quatre hommes qui ont donné à Simenon sa chance fut son propre père, pour lequel il voua toujours un culte, fait d'admiration et de complicité.

«Mon père aurait pu me dire cent fois: Georges ne fais pas ceci, ne fais pas cela. Il n'en faisait rien. Par contre, quand je rentrais à quatre heures du matin, ou que je ne rentrais pas du tout, sachant ma mère très sévère, il se levait sans bruit pour aller défaire mon lit. Voilà ce qu'il faisait mon père pour me sauver des foudres de ma mère. Alors, vous voyez! Je crois que l'indulgence compte énormément. Si je m'étais heurté à un mur, je serais certainement devenu un révolté...»[1]. Simenon écrira dans son roman *Le Fils:* «La date la plus importante dans la vie d'un homme est celle de la mort de son père».

Toute sa vie, Simenon se rappellera la «théorie des petites joies» que son père appliquait pour se rendre heureux et, surtout, le cri de guerre Simenon: «J'ai faim!».

Au temps de son billet quotidien Hors du Poulailler, Sim voit son père le lire chaque jour: «Tout en se rendant à son bureau et il le faisait lire à ses collègues. Il était très fier de moi et me traitait en homme, en égal en somme, bien qu'il ne m'eût jamais traité en enfant»[2].

Depuis la fin de l'année 1918, la famille Simenon s'attend au drame. C'est à cette date en effet que le médecin de famille avait déclaré que Désiré Simenon n' avait plus que quelques années à vivre.

C'est le 28 novembre 1921, trois ans plus tard, que le drame éclate : «L'avant-veille de mon service militaire, j'étais allé en reportage à Anvers où j'avais passé un après-midi très joyeux avec une jeune fille que je n'avais plus vue depuis longtemps. J'arrive au retour à la gare de Liège, vers 7 heures du soir et quelqu'un m'attendait pour me dire : «Mon petit Georges, il faut être courageux». Je suis rentré à la maison. Il était déjà sur son lit de mort avec les cierges et tout cet appareil dont on entoure un mort et qui me fait horreur»[1].

Dans ses *Mémoires Intimes*, il dira avoir fait l'amour avec une arrière-cousine – à Anvers où la Gazette l'avait envoyé – dans un hôtel de passe. Au retour, Tigy et son père l'attendaient à la gare. Chez lui, il découvre son père étendu «tout habillé, les mains croisées sur la poitrine, et j'ai dû faire un effort pour poser mes lèvres sur sa tempe froide».

Dans le roman *L'âne rouge,* Simenon reproduira les principales scènes de ce drame intime. Le maître des cérémonies demande au reporter Jean Cholet de la Gazette de Nantes :

« Je suppose que je mets ces messieurs du journal tout de suite après la famille? (…)

Il avait aperçu la barbe noire de M. Dehourceau, et Gillon, et Léglise qui lui avait dit en découvrant ses dents gâtées :

– Excuse-moi, je dois aller faire le journal… (…).

– *Libera me, Domine.*

C'était vraiment une libération! Jean Hoquetait, toussait, incapable de reprendre son souffle. On se tournait vers lui. Une main se posa sur son épaule.

– Il faut être un homme!

C'était M. Dehourceau qui lui parlait ainsi et Jean se jeta sur sa poitrine. Il étouffait. Il voyait, déformés par ses larmes, les surplis blancs autour du noir du catafalque. M. Dehourceau ne se dérobait pas.

– Courage!

– Vous ne savez pas… Il… il…

Il n'y avait pas de mots pour dire cela! Son père l'avait sauvé en mourant! Personne n'avait jamais compris ce qu'il se passait entre Jean et son père. Il n'y avait qu'eux deux!»[3].

Lorsque son père meurt, il n'y n'avait que trois cents francs dans son portefeuille : «C'est tout ce que nous possédions.

Trop peu pour payer les obsèques et la tombe. Je me suis adressé, contre mon gré, à des oncles opulents pour leur emprunter de quoi payer les obsèques. Ils m'ont tous opposé un refus et, si je n'avais pas pu emprunter un peu d'argent à la Gazette de Liége, mon père serait allé à la fosse commune[4]». C'est deux mois et demi avant ses 19 ans que Georges Sim devint majeur: «Je n'ai pas voulu que ma mère devienne ma tutrice et que l'on nomme, dans la famille ou en dehors de la famille, un subrogé tuteur. Un juge de paix, si je me souviens bien, m'a ce qu'on appelle «émancipé», c'est-à-dire que, du jour au lendemain, je suis devenu adulte, avec tous les droits et toutes les libertés que cela comporte» [5]. Y compris celle de partir vivre à Paris...

Sim sous les drapeaux...

Le lendemain même de l'enterrement de son père, Georges Sim doit rejoindre son régiment: «C'était l'automne. Il faisait très froid. J'avais devancé mon terme, comme on dit en langage administratif, afin de gagner Paris le plus tôt possible. Comme tous ceux qui devancent l'appel, j'avais le droit de choisir l'arme dans laquelle je voulais servir. À la Gazette de Liége, je m'étais habitué à conduire toutes sortes de motos, y compris les bolides venus d'Amérique. J'avais donc demandé d'être versé dans les services automobiles et motocyclistes. J'ignorais alors qu'il n'y avait pas de régiments de ce genre à Liège et je me retrouvai à Aix-la-Chapelle, en Allemagne, à la Rote Kaserne, ce qui signifie caserne rouge»[6].

Pendant ce temps, Monsieur le Coq ne chôme pas pour autant. Il rapporte d'une plume acerbe les propos d'un prolétaire qui depuis trois jours porte l'uniforme:

«Le gouvernement devrait être honteux de n'avoir pas plus d'égards pour les soldats que pour un vil bétail»[7]. Monsieur le Coq peut porter aussi un regard fort critique à l'endroit de certains commerçants allemands qui n'hésitent pas à proposer aux soldats belges de se faire photographier «en tenue de fantaisie». Il écrit:«On n'a aucun plaisir à constater que son ennemi est ignoble, qu'on s'est battu avec des marchands de toutes sortes de choses, avec des marchands tout court, et non avec des soldats». Car, que voyait-il dans certaines vitrines, sinon «en excellent *Made in Germany* la pho-

tographie en couleurs de toutes les casernes allemandes occu-
pées par les Belges. Et au-dessous de cette enluminure d'Épi-
nal, lisez sans crispation ces libellés: «Souvenir de mon service militaire à la caserne rouge, ou jaune, ou bleue», que
sais-je?»[8].

L'hiver 1921-1922 fut un hiver fort rigoureux. Et Simenon
se rappelle qu'il écrivait néanmoins chaque matin «les doigts
gelés une longue lettre à Tigy. Elles constituaient un hymne
à l'amour parce que mon cœur en débordait»[9].

À Aix-la-Chapelle toujours, Georges Sim et ses camarades
de régiment s'offrent, avec leur simple solde de vingt-cinq
centimes, un dîner de roi dans ce qui était jadis le restaurant
le plus en vogue de la ville: «J'ai rarement eu aussi honte de
moi, confia plus tard Simenon, je nous revois, dans ce somp-
tueux décor, avalant avec peine notre repas dont le quart
aurait nourri une famille entière. Nous n'avons pas eu le courage de parler en rentrant à la caserne». Pourtant, on peut lire
dans l'article intitulé *Menus propos sur l'armée d'occupation:*
Il y a des soldats qui «ont de plus aristocratiques activités. Au
lieu de se contenter de l'ordinaire de la caserne, ils se rendent
le soir dans les restaurant les mieux cotés, les plus chers, et
viennent conter à leurs compagnons de chambrée qu'ils ont
fait un vrai festin pour quatre ou cinq francs»[10].

Après un mois, Sim revient à Liège: «Je ne suis pas resté
plus d'un mois à la Rote Kaserne, dans l'armée d'occupation
(deux mots que je déteste, car j'ai subi deux occupations dans
ma vie). J'ai demandé à permuter, c'est-à-dire à être désigné
pour un régiment caserné à Liège. En ma qualité de soutien
de famille à la mort de mon père, cela m'a tout de suite été
accordé. Non seulement ma caserne était située à Liège, dans
mon propre quartier, mais elle se trouvait à moins de trois
cents mètres de la maison de ma mère». (...). J'appartenais
toujours à la Gazette de Liége où je continuais toujours à
écrire mon billet quotidien que j'envoyais par la poste. En
toute innocence, j'ai raconté certains incidents vécus de la vie
de caserne et, un jour, le commandant s'est approché de moi,
l'air grave, et m'a annoncé que le colonel m'attendait dans
son bureau»[6]. De fait, ne lit-on pas dans trois Poulaillers:
«Sait-on qu'il est bon nombre de recrues qui, encasernées
depuis le 1er décembre, ont eu tout juste le loisir de prendre
une douche. Une douche. Point, c'est tout, une petite douche
de dix minutes»[11]. Ou encore: «La gamelle, comme le cou-

vert, qui sont constamment maculés de graisse, de soupe, de viande, ne sont jamais lavés à l'eau chaude. Si bien que brillantes à l'extérieur, elles deviennent répugnantes au dedans»[12]. Enfin: «Me permettrais-je de développer dans le modeste champ de mes cinquante lignes journalières un sujet militaire? Je veux achever le triptyque. (..). Hélas, comme sur le terrain de l'ordre et sur celui de la propreté, il me faut abandonner le diapason louangeur pour celui de la critique»[13].

Convoqué par le colonel de la caserne Fonck, Georges Sim se fait rappeler à l'ordre:

«Vous êtes le cavalier Simenon?

– Oui, mon colonel.

– Vous rendez-vous compte que vous risquez le tribunal militaire et la prison?

Je me demandai quel crime je pouvais avoir commis pour qu'on fasse miroiter à mes yeux, si je puis dire, de telles perspectives.

– Vous oubliez l'article tant du code militaire?

– Je ne le connais pas, mon colonel.

– Il défend expressément à tout militaire d'écrire sur ses supérieurs et sur la vie d'une caserne.

Je ne m'imaginais pas que mes innocents billets quotidiens, où je soulignais certains petits travers de l'armée, pouvaient me conduire en prison.

– Je lis dans votre dossier que vous êtes soutien de famille.

– C'est exact, mon colonel.

– Pour cette fois, cela n'ira pas plus loin, mais je vous conseille, lorsque vous écrirez pour votre journal, ce qui est déjà un accroc à la discipline, d'oublier ce qui se passe à la caserne»[6]. C'est là que Georges Sim fera une expérience importante qui l'aidera dans sa connaissance de la «matière humaine»: il doit répartir les recrues dans l'armée. Il voit ainsi le dossier de centaines d'hommes passer dans ses mains: «C'était un travail de bénédictin (...) pour jongler avec les professions, la taille des hommes, leur poids, leur degré d'instruction»[6].

Un autre jour, atteint d'une forte fièvre, Georges Sim est conduit à l'hôpital militaire de Saint-Laurent. Une fois soigné, il rentre à la caserne. Le colonel le fait appeler et lui dit:

«J'ai réfléchi à votre cas. Je suis un vieil ami de Demarteau et nous avons parlé de vous. Dès demain, vous serez transféré et vous quitterez la caserne, tout en venant y coucher chaque soir, bien entendu.

À mesure que le temps passait, je prenais de nouvelles libertés. Je me rendais à la Gazette pour écrire mon billet quotidien. Puis, n'ayant jamais aimé les uniformes, je me mis carrément en civil en disant à l'adjudant :
– Si vous avez besoin de moi, téléphonez à la Gazette de Liége. Je viendrai immédiatement.

Mon ancienne vie reprenait tout doucettement»[1]. Mais Georges Sim allait bientôt tourner définitivement ces grandes pages liégeoises desquelles il tirera le fondement même de toute son œuvre.

« Un désespéré se pend à la porte d'une église »

Un certain Joseph Kleine, un peintre-décorateur liégeois, cocaïnomane, faisait partie de La Caque. Durant l'été 1930, à bord de «L'Ostrogoth», Georges Simenon se souviendra du halo de mystère qui entoura son suicide. Il écrira à partir de ce fait divers tragique *Le pendu de Saint-Pholien* dont le chapitre huit, intitulé «Le petit Klein», rend compte de la découverte de sa mort.

Il est extrêmement intéressant de comparer les lignes du romancier Simenon avec celles du reporter Georges Sim.

Le commissaire Maigret lit dans un journal liégeois:

«L'agent Lagasse, de la 6e division, se rendait ce matin à six heures au pont des Arches pour y prendre sa faction quand, en passant devant le portail de l'église Saint-Pholien, il aperçut un corps qui était suspendu au marteau de la porte. Un médecin mandé d'urgence ne put que constater la mort de l'individu, un nommé Émile Klein, né à Angleur, vingt ans, peintre en bâtiments, domicilié rue du Pot-au-Noir. Klein s'est pendu vraisemblablement, vers le milieu de la nuit, à l'aide d'une corde de store. Dans ses poches, on n'a retrouvé que des objets sans valeur et de la menue monnaie. L'enquête a établi que, depuis trois mois, il avait cessé tout travail régulier et le dénuement semble lui avoir inspiré son geste»[14].

Dans la Gazette du 3 mars 1922, Sim relate le suicide de Klein en ces termes, sans toutefois signer son papier: «Un vif émoi régnait ce jeudi matin, aux abords de l'église Saint-

196

Pholien, endroits d'habitude si calmes et si paisibles aux heures matinales. Vers 5h45, le sacristain se rendait à l'église afin d'y préparer l'autel pour la première messe, quand, arrivé aux marches de la porte principale il s'arrêta soudain, figé sur place par l'affreux spectacle qui s'offrait à ses yeux : un homme était pendu à une écharpe à la clenche de la porte et ne donnait plus aucun signe de vie. Son corps s'affaissait misérablement, à demi replié sur les marches de pierre, les bras ballants, la figure crispée. Le sacristain s'en approcha et dénoua l'écharpe. Le corps tomba avec un bruit sourd. Vers 6h20, la police, prévenue téléphoniquement, arriva sur les lieux. L'individu parvint assez rapidement à être identifié. C'est un nommé Joseph K..., célibataire, né à Grivegnée, âgé de 23 ans, habitant rue Curtius avec sa tante. Cet homme, paraît-il, se livrait à l'abus de stupéfiants, tels que la cocaïne. On ne sait exactement la raison qui l'aura déterminé à mettre fin à ses jours. Après que les constatations d'usage furent faites, le corps fut transporté à la morgue. K... était porté disparu depuis plusieurs jours»[15].

En juillet 1984, Georges Simenon nous a précisé par lettre qu'il s'était rendu sur les lieux du drame et qu'il était bien le signataire de ce fait divers. De plus, il apportait cette précision importante : «Cette nuit-là, je l'ai porté chez lui ivre mort. Il était toujours affamé». Et de fait, Simenon fait de même dans *Les trois crimes de mes amis* : «K... était étendu par terre, roide, comme je l'avais été le soir de ma première cuite. On le hissa sur mon épaule. (...). Où habitet-il?».

Le lendemain, «en arrivant à mon journal, je trouvai, parmi les rapports de police qui nous étaient transmis chaque matin : «Au petit jour, on a découvert le corps d'un nommé K..., vingt-deux ans, sans profession, pendu à la porte de l'église Saint-Pholien»[16].

Les autres journaux liégeois du 3 mars 1922 nous livrent des précisions supplémentaires. L'Express est le seul à donner l'identité des acteurs : M. Geilenkirchen, le sacristain; M. Pirard, le commissaire-adjoint de service à la Permanence, et M. Steenebauggen, le docteur appelé d'urgence. La Wallonie socialiste précise, quant à elle, qu'il était né en 1898 et qu'il s'est donné la mort «déséquilibré par l'usage de la cocaïne». Enfin, La Meuse rapporte que le médecin «constata que la mort remontait à plusieurs heures. Le désespéré était resté pendu la nuit, sans attirer l'attention des passants, car les personnes qui le virent crurent qu'il s'agissait d'un homme assis sur les degrés du temple». Et d'ajouter «qu'il n'était pas paru à son domicile depuis plusieurs jours». Autre élément important: «Il avait déjà tenté de mettre fin à son existence».

«*Autant partir pour la ligue internationale*»

C'est le 14 décembre 1922 que Georges Sim prend le train pour Paris: «Un quai de gare mal éclairé, la nuit, à Liège, avec du brouillard pour dramatiser encore la scène. Sur le quai, Tigy et son père dont je voyais brouillés, les visages et les gestes d'adieu à travers les vitres sales et humides»[9].

Mais pourquoi Georges Sim a-t-il voulu partir à Paris? À la recherche de la gloire littéraire? Pas du tout, et il semble que ce soit sa fiancée, Tigy, qui ait joué là un rôle déterminant: «C'était ma fiancée d'alors, qui est devenue ma première femme et qui était peintre, qui m'a mis comme condition à notre mariage que nous vivions à Paris»[17]. Il répétera cette même explication dans une autre de ses *Dictées*: «C'était l'époque de Montparnasse et elle voulait venir en France. Ce qui a déterminé mon choix, mais j'aurais très bien pu m'installer dans une ville de province et devenir un écrivain régionaliste»[18].

De toute façon, «j'aurais manqué à toutes les traditions, vous vous en rendez bien compte, si je n'avais pas manifesté un souverain mépris pour ma petite ville et si je n'avais décidé que Paris, seule, était digne de m'accueillir. Manger de la vache enragée à Paris, à Montmartre de préférence, c'est aussi indispensable à un futur écrivain que le petit journal du collège et le premier roman sur ses patrons et ses parents»[19]. Il expliqua en d'autres mots: «J'ai toujours eu l'idée de quitter Liège, dès l'âge de 15, 16 ans, enfin, dès que j'ai eu l'idée d'écrire des romans, parce qu'il faut choisir la ligue dans laquelle on joue. C'est comme pour le football. Alors tant qu'on y est pour partir, autant partir pour la ligue internationale, quitte à se casser le nez. Et je suis parti exactement à 19 ans et demi, en 1922»[20].

C'est en date du vendredi 15 décembre que nous trouvons son dernier billet Causons... dans les pages de la Gazette de Liége.

Georges Sim laisse derrière lui à l'adresse de ses lecteurs un *Conte de Noël* qui paraîtra fin décembre 1922. Ce conte fut inséré sous forme de tiré à part dans le journal, imprimé en lettres gothiques. Il est remarquablement illustré de cinq dessins de l'artiste Alfred Martin. Le premier de ces dessins représente Saint-Lambert indiquant du doigt la vallée où doit être fondée la ville qui deviendra Liège. Au-dessous de Saint-Lambert apparaît le titre : *La Légende Liégeoise,* avec un seul *L* en enluminure. Sim y dépeint l'arrivée de Saint-Monulphe à Liège, l'enterrement de Saint-Lambert et l'édification de la cathédrale qui portera son nom.

Après le départ de Sim, le billet Hors du Poulailler refait surface dans les éditions du jeudi 21 décembre, mais n'est pas signé. Dès le jour suivant, le rédacteur Paul de Bonnier le signera sous le pseudonyme *Momus.* Quelques temps après, le billet s'appellera *Éphémérides.*

Le pas est franchi : Georges Sim n'est plus reporter à la Gazette de Liége! Mais bien garçon de bureau à Paris auprès d'un écrivain connu à l'époque, Binet-Valmer qui était, de surcroît, président de la «Ligue des chefs de section et des Anciens Combattants». C'est par un Liégeois, Georges Plumier, qui connaissait Binet-Valmer, que Sim réussit à décrocher ce premier emploi à Paris. Cette fonction ne l'enthousiasmera guère. Mais elle aura un côté fort intéressant : Simenon devra faire la tournée des journaux qui, à l'époque, avaient tous leur siège aux environs de l'Opéra. Il fit ainsi connaissance avec les quarante-cinq rédacteurs en chef que Paris comptait! Une excellente entrée en matière avant d'y venir vendre ses contes et nouvelles.

Dès décembre 1922, Georges Sim envoya des papiers à la *Revue Sincère* (octobre 1922-1933) de Léon Debatty et J.-M. Jadot, qui paraissait à Bruxelles. Il écrivit un texte d'une excellente facture dans le numéro 3 du 15 décembre 1922 qui s'intitule *Le Compotier tiède.* Georges Sim y décrit l'atmosphère lourde de sentiments amers et tristes qui entoura la scène au cours de laquelle il se décida enfin à annoncer à sa mère sa montée à Paris.

Le Compotier tiède

Le poêle flambe pour la première fois, depuis l'autre hiver. Des bouffées intimes ont envahi tous les angles.

Il s'est assis au bout de la table, tandis que sa mère marche encore, remue des couteaux, bouscule des tiroirs, sans se décider a s'asseoir. Nettoyer les couteaux au moment de se mettre à table ! Les mamans ont de ces manies. Elles trottent, trottent, toujours en mouvement, toujours nettoyant, et si, un moment, elles sont assises, croyez que leurs mains ne sont pas en paix.

Nettoyer les couteaux, alors que le café fume dans les tasses! Comme si les couverts n'étaient pas propres assez pour eux deux ! Qu'importe la bavure mordorée d'un fruit sur une lame !

Le bouchon frotte, crisse sans fin sur l'acier.

Encore !...

Enfin, maman s'assied, après avoir enlevé, secoué, replié, déposé sur un meuble son tablier de cotonnette.

Il a commencé son repas. Il mange, un peu de feu aux joues, en regardant le compotier. Une mare glauque, molle et tiède, sans fond, vivante, dirait-on...Une mare qui palpite. Du sang de prunes, épais et lourd. Une marmelade parfumée, douce comme le premier feu dont les flammes jaunes esquissent des caresses,

La maman mange très vite. Déjà elle songe à quelque important travail : récurer les candélabres de cuivre, peut-être, ou bien encapuchonner les petits pots de confiture qui s'alignent sur une console, tièdes et vivants encore.

Il va lui dire, en regardant le compotier, pour s'abstraire. Non, il ne dira pas encore. Le compotier se raccroche à lui. Cette mare glauque et sucrée, c'est du passé dans lequel il s'enlise. Cependant, il doit parler. Voilà des mois, puis des mois qu'il attend, sans oser meurtrir leur vie à deux, leur ménage. Son petit ménage à elle ; son ménage mélancolique de maman veuve.

Il va parler. Non, sa résolution se noie dans le compotier rouge qui embaume. Ses doigts de petit enfant s'y plongeaient pareillement; c'était mou, tiède et sucré.

Est-ce sa faute, s'il doit partir? Chaque homme, un jour, fonde un ménage... et déchire le passé, tout d'un coup.

Pourquoi le compotier le regarde-t-il ainsi, avec douceur, comme s'il promettait des quiétudes infinies et sucrées?

Il veut parler. Il parle, sans donner libre cours à sa pensée. Une à une, il en laisse tomber les parcelles.

— Dis, maman! Tu comprends...Tu as aimé aussi, fondé un foyer. J'ai besoin, vois-tu, de faire une vie qui soit la mienne... Pas tout de suite...

La maman qui grignotait si vite des tartines a cessé de manger. Pourquoi faut-il que les mamans ne comprennent jamais ? Pourquoi oublie-t-on un jour ses émotions anciennes ? Non, la maman ne comprend pas. Il fait tiède. Tout est propre, et doux, et calme..: Pourquoi édifier une autre vie ? Pourquoi construire un nid de fortune, quand un nid moelleux vous entoure ?

Et la maman est triste. Sur le compotier glauque, comme sur sa paupière, tremble un reflet qui ressemble à une larme.

Que les choses ont changé, depuis tantôt! Est-ce que des mots, une résolution suffisent à couper les fils qui nous relient aux objets familiers? Tout a changé : la maman, le foyer. La maman pleure, et il sent qu'il ne peut pas la consoler, comme auparavant. Alors, il regarde les choses à l'entour. Et les choses, dans la douceur du premier feu, disent tout bas des reproches. Les fils sont coupés. Il ne les comprend plus.

Le compotier tiède, parfumé et sans fond n'a plus de regard, plus de pensée. Le passé s'est enfui.

GEORGES SIM.

Extrait de la «Revue Sincère» du 15 décembre 1922.

Il reviendra sur ce thème – qui le harcela toute sa vie – en parlant de l'«engourdissement» dont il fut l'objet quand il essaya de parler à sa mère sur ce même propos. Cet écrit parut dans le numéro 9 de la Revue Sincère du 15 juin 1923. Simenon essayera de résoudre plus tard ce nœud de liens conflictuels tressé avec sa mère : il adressera sa fameuse *Lettre à ma mère,* composée en 1974, après le décès de celle-ci.

Cette revue publia également une critique de Georges Sim portant sur deux romans de Binet-Valmer.

Sim enverra en outre à la Revue Sincère les portraits de huit écrivains sous le titre *Mes Fiches,* qui paraîtront à partir du numéro 7 du 15 avril 1923 jusqu'au numéro 10 du 13 juin de la même année. Citons ces derniers : Max et Alex Fischer, Robert de Flers, Henri Duvernois, Claude Farrère, Léon Daudet, Maurice Barrès, Paul Fort et Tristan Bernard. N'est-il pas cocasse de lire la description qu'il fit de Henri Duvernois dans l'édition du 15 mai 1923 de la Revue Sincère quand on sait que Sim allait suivre sa trace en écrivant lui aussi des contes. Car Duvernois était le grand as des contes du Matin. Simenon reconnaîtra avoir lu «tous les Duvernois possibles» avant de se lancer lui-même dans la bataille. Il le dépeint avec verve, feignant l'erreur avec malice : «Le sourire est plus large tandis que la masse s'incline, s'incline ! Il va choir ! Mais pardon ! Je me suis trompé de fiche. Il ne s'agit pas de Henri Duvernois, le conteur... délicieux, ma chère !... si spirituel !... une psychologie !... mais d'un premier commis de la rue de la Paix. Irréparable erreur !».

Le "petit Sim" reviendra à Liège pour se marier le 24 mars 1923 avec l'artiste-peintre liégeoise, Régine Renchon, qu'il surnomma toujours "Tigy". Il l'avait connue dans le cercle de La Caque.

«Foule à la mairie, car, ici, je suis le petit Sim, le reporter qui a écrit pendant trois ans des billets quotidiens assez rosses. Mes confrères sont présents. C'est le premier échevin communiste de l'histoire de la bonne ville de Liège qui nous fait, en employant le wallon, un assez long discours et qui nous unit. Mes confrères se sont cotisés pour nous offrir un grand cœur en cristal taillé rouge et blanc»[9].

Marié, Georges Sim deviendra à son retour en France se-crétaire du marquis de Tracy, le quatrième homme qui lui a donné sa chance, après son père, le poète liégeois Joseph Vriendts et Joseph Demarteau III, le directeur de la Gazette de Liége.

---

1. «Portrait Souvenir», 1963, p.61 - p.66.
2. Dictée «Les libertés qu'il nous reste», 1980, p.95
3. «L'âne rouge», Le Livre de Poche, pp.171-173..
4. Dictée «De la cave au grenier», 1977, p.177.
5. Dictée «Tant que je suis vivant», 1978, p.127.
6. Dictée «Point-virgule», 1979, pp.132-139-144- pp.150-152.
7. «Hors du Poulailler» du 9 décembre 1921.
8. «Hors du Poulailler» du 31 décembre 1921.
9. «Mémoires Intimes», 1981, pp.13-17.
10. «Menus Propos sur…», 8-9 janvier 1922.
11. «Hors du Poulailler» du 7 janvier 1922.
12. «Hors du Poulailler» des 8-9 janvier 1922.
13. «Hors du Poulailler» du 10 janvier 1922.
14. «Le pendu de Saint-Pholien», Presses Pocket, p.127.
15. «Gazette de Liége» du vendredi 3 mars 1922.
16. «Les trois crimes de mes amis», Collection Folio, pp.58-59.
17. Dictée «Un homme comme un autre», 1975, p.13.
18. «Georges Simenon, de l'humain au vide», 1983, p.218.
19. «Le Romancier», 1960, p.84.
20. «Simenon reçoit…», 1970, p.11.

XVI

CONCLUSIONS

Un Liégeois part pour Paris

Georges Simenon part à Paris, la Métropole des arts et des lettres, pour la conquérir ou s'y casser le nez. En tout cas, pour éviter l'enlisement d'une vie toute tracée de rédacteur à la Gazette de Liége. Car Liège finit par l'étouffer, par l'asphyxier.

Qu'il parte où il le désire, qu'importe, il est blindé.

À Liège, il a enregistré des couleurs, des visages, des scènes de la vie de tous les jours; il a respiré des odeurs, il a happé sur le vif des hommes et des femmes enchaînés à leur condition sociale, il a emmagasiné des images, des impressions et des ambiances pour remplir plus de deux cents romans, véritable univers simenonien. Il a absorbé à Liège une masse impressionnante de récits humains qu'il ne cessera de «rendre» tout au long de sa vie. L'homme Simenon est construit à vingt ans; il n'absorbera plus jamais autant de «matière humaine». «Je me souviens, confiera-t-il à son ami Victor Moremans, de chaque coin et recoin de la «Gazette», je me souviens de chaque personne. Je me souviens également de tout le personnel de l'Hôtel de Ville, les échevins, le maire, le secrétaire général, les commissaires de police, les commissaires de la P.J. Tout cela, je m'en souviens admirablement. (...). Si je devais avoir emmagasiné autant de silhouettes, autant de personnages pendant le reste de ma vie, c'est-à-dire depuis que j'ai quitté la «Gazette», jusqu'aujourd'hui, mais je serais pis qu'un dictionnaire... qu'une encyclopédie. J'aurais des milliers, des milliers d'individus en tête. C'est donc bien qu'il y a une période de la vie où cela compte beaucoup plus. On est plus ouvert, on absorbe davantage».

À la Gazette de Liége, il a côtoyé les faibles et les forts : «Dès le début, au siège central de la police, où on nous lisait, à mes confrères et à moi, les rapports quotidiens qui nous renseignaient sur la criminalité et l'organisation de la lutte contre celle-ci, jusqu'aux réunions du conseil comunal et du conseil provincial, enfin jusqu'à mes excursions de flâneur dans les différentes salles du palais de justice où je me faufilais tour à tour du tribunal de simple police à la cour d'assises. Sans compter les petits secrets que je découvrais à la «Gazette de Liége» sur l'organisation des partis politiques, la personnalité de ceux qui les aidaient financièrement, la préparation des élections et les polémiques quasi quotidiennes entre deux journaux opposés. J'avais un peu l'impression d'être dans le secret des dieux, comme si, de la coulisse, je voyais les acteurs de la ville sinon du pays entier quand ils n'avaient pas encore revêtu, si je puis dire, leurs visages officiels et qu'ils se préparaient. J'ai ainsi connu un grand nombre de ce qu'on appelle aujourd'hui les «magouilles», c'est-à-dire toutes les petites combinaisons que le public ignore, comme aussi les rapports amicaux et presque complices entre ceux qui, sur le devant de la scène, apparaissent comme des ennemis irréductibles»[1].

En quatre années, Georges Sim a traversé toutes les classes sociales : «C'est la meilleure expérience pour un romancier, dira-t-il, il m'aurait fallu je ne sais combien d'années pour les approfondir et y être admis». C'est pourquoi, le seul conseil que Simenon donnera aux jeunes auteurs sera le suivant : entrez dans un petit journal où il y a seulement trois ou quatre rédacteurs, car vous serez obligés de vous frotter à tous les milieux.

Sceptique pour le restant de ses jours, Georges Simenon restera toute sa vie «hors du poulailler», hors des normes, hors des groupes, continuant à se proclamer anarchiste, ne se pliant aux lois que pour payer sa dette envers la société, sans plus.

Il s'en tient à une évidence quelque peu simpliste à propos des hommes en général : il y a des faibles et des forts, des êtres qui sont capables d'aller jusqu'au bout d'eux-mêmes et tous les autres qui restent en chemin...

Oui, Georges Simenon peut partir sans crainte à Paris: il contient la ville de Liège de son enfance et de son adolescence; il n'oubliera rien de ses vingt années de vie au cœur de la Cité ardente. Il «rendra» dans ses romans l'eau qu'il aura absorbée, pareil à l'éponge. Cette eau extraite de lui-même constituera cet immense espace dramatique fait d'hommes et de femmes enracinés dans le terroir wallon, pris au piège de leur médiocrité.

«On n'absorbe que jusqu'à dix-huit ans!», a toujours affirmé Georges Simenon. Il part à Paris, avec au cœur du corps et de l'esprit l'empreinte de la ville de Liège et de ses petites gens d'Outremeuse.

La «*Gazette de Liége*» parle du romancier Simenon

Après son départ de Liège pour Paris en 1923, marié à Régine Renchon, Georges Sim devra attendre le jeudi 26 mars 1931 pour voir son nom apparaître à nouveau dans les colonnes de la Gazette de Liége. Mais bien sûr, il ne sera plus le reporter-loustic Georges Sim, mais bien l'écrivain Georges Simenon.

C'est son ami Victor Moremans qui écrira la toute première critique littéraire parue dans la Gazette de Liége sur son compte, en l'occurrence à propos de deux de ses œuvres: *Le Pendu de Saint-Pholien* et *M. Gallet décédé*.

«Bien qu'ils relèvent assez peu de la littérature, disons immédiatement qu'ils ne sont nullement à dédaigner. (...)

Ces deux romans dont l'intérêt est soutenu jusqu'au bout sont conduits avec beaucoup d'habilité et un sens extraordinaire de l'intrigue et du mouvement. La logique en est suffisamment rigoureuse pour qu'en dépit de quelques légères défaillances, on ne crie pas à l'invraisemblance; la psychologie des personnages quoique superficielle est bien étudiée, les situations sont intelligemment enchaînées et le style sans être éclatant est probe et honnête».

Il note avec discernement: «C'est sur la finesse d'observation et l'intelligence de son commissaire Maigret – qui pourrait bien un jour devenir aussi célèbre que Rouletabille ou Sherlock Holmes – que ses romans reposent pour ainsi dire uniquement».

Quelques lignes plus loin, Victor Moremans se montre plus réservé en des lignes qui, aujourd'hui, étonnent et font sourire : «Il ne nous viendra sans doute jamais à l'idée de recommander ce genre d'ouvrage à la jeunesse dont l'imagination est trop impressionnable, mais, entre deux romans à tendance psychologique ou deux livres savants, nous ne verrions aucun inconvénient à ce que des adultes prissent plaisir à lire les deux livres de M. Simenon qui a réellement en lui l'étoffe d'un bon romancier populaire».

Et Victor Moremans de remonter à l'époque du petit Sim : «Lorsqu'il était à Liège, sa ville natale, où il a laissé le souvenir d'un charmant confrère, M. Georges Simenon avait publié un petit roman *Le Pont des Arches* dans lequel il faisait preuve déjà de beaucoup de facilité. Depuis, comme on dit, il a fait du chemin».

C'est alors que Victor Moremans boucle son article sous la forme d'un souhait amical : «Certes, nous voudrions pour notre part le voir se soumettre du point de vue littéraire à plus de discipline». Mais tout aussitôt, il reconnaît les limites de son vœu : «Comment hélas oser espérer cela de ce diable d'homme qui n'est que vie et mouvement, parcourt les mers en bateau, abat chaque matin – à ce qu'il paraît – ses soixante pages dactylographiées et dans le fond se moque de la littérature? Le jour où il s'assagira soyons sûrs qu'il nous donnera l'œuvre qu'il est assurément capable d'écrire, car il ne manque, nous l'affirmons, ni de cran, ni de métier, ni surtout de talent».

Par la suite, la Gazette parlera à nouveau de Georges Simenon, à l'occasion du centenaire de la Gazette de Liège dans le *Liber Memorialis, 1840-1940 :* «Un rédacteur d'un tout autre genre, mais de grand talent, fut certes Georges Simenon; spécialisé dans l'information locale, peut-être puisa-t-il dans la pratique quotidienne des commissariats de police, des parquets et des enquêtes, son goût pour le roman policier? Sa brillante carrière d'auteur dans ce genre l'a fait, depuis, émigrer à Paris».

Georges Sim revient à la «Gazette de Liége»

C'est en mai 1952 que Georges Simenon est reçu à l'Académie Royale de Langue et de Littérature françaises de Belgique. À cette occasion, il revient à Liège, sa ville natale. «Liège m'avait organisé un accueil inattendu, fait de réceptions très officielles et de dîners non moins officiels dans les palais de la ville»[2]. À l'Hôtel de Suède, aujourd'hui disparu, qui se situait place du Théâtre Royal, là où le petit Sim interviewa pour la Gazette tant de personnalités plus ou moins importantes, Georges Simenon est attendu par la presse liégeoise. Son ami liégeois, Victor Moremans, critique littéraire à la Gazette de Liége, l'accueille chaleureusement.

«Cinq ou six reporters m'attendent dans le salon, des nouveaux, des jeunes, qui représentent les journaux où j'ai eu tant d'amis.

– Je n'ai pas pu faire autrement, s'excuse Moremans. Tu connais le métier... Ils sont dans le petit salon... Tu as dîné...

– Dans la friture de la rue Lulay...

– Je te reconnais bien là!

J'affronte mes confrères. Ils me posent gentiment des questions plus discrètes que celles que je posais au temps où j'étais à leur place. J'offre le champagne et, presqu'à mon insu, me mets à égrener des souvenirs, à poser des questions sur le sort de nos patrons de jadis. Ils sont presque tous morts.

– Et Demarteau?

Le directeur-rédacteur en chef barbu qui m'a accueilli, lorsque j'avais seize ans à la Gazette...

– Bien vivant, lui. Il a hâte de vous embrasser.

Moi aussi, car je me rends compte à présent de la patience qu'il a eue avec le polisson que j'étais. Il est plus de minuit quand je quitte mes confrères, car ils ont à peine le temps d'écrire leur papier avant que les rotatives se mettent à tourner»[2]. À l'Hôtel de Ville, c'est son ancien patron qui l'accueille:

«À l'entrée, Demarteau me serre sur sa poitrine.

– Mon petit Sim!... Je n'espérais pas...

Nous sommes émus tous les deux. Sa barbe est devenue blanche, mais il est toujours aussi droit»[3].

Après la réception à l'Hôtel de Ville, Joseph Demarteau III emmène Simenon à la Gazette de Liége, située depuis le 11 mai 1929 aux numéros 32-34 de la rue des Guillemins, dans la propriété Carpay. Regardant de près les cinq bureaux antiques qui meublent la rédaction de la rue des Guillemins, Simenon s'écrie:

«Mais ce sont ceux qu'on avait rue de l'Official! Je me demande lequel est le mien?

Et, comme un prestigititateur, il fit glisser de son logement une tablette dont personne ne soupçonnait l'existence. Il ré-

Je voudrai poser à Monsieur le Bourgmestre de Liège une question qu'il jugera peut être imperti'heute : sommes nous protégé comme nous avons le droit de l'être contre certains personnage sans aveu, venus on ne sait d'où dans l'intention évidente d'abuser de la crédulité publique ? Si la Violette, s'assure-t-on, est bien gardée, notre bonne ville l'est-elle aussi ?

Pour attendre le heureusement d'épaules de notre très haut magistrat communal, je n'hésite pas à répondre non. Et je le fais, une fois de plus, en toute connaissance de cause.

Depuis quelque jours, en effet, on peut voir rôder un individu, descendu dans nos meilleurs hôtels, qui n'hésite pas à se faire passer pour Georges Sim et qui raconte à qui veut l'entendre qu'il n'est autre que le reporter de ces chroniques.

On ne l'a pas seulement aperçu dans les rues, mais il a pu s'introduire dans des cercle assez fermé et serrer la main de personnalités importantes, la vôtre entre autres, m'affirme-t-on, monsieur le Bourgmestre.

Je me suis même laissé dire que vous l'avez félicité publiquement du talent déployé dans ces notes quotidienne.

Or, cet homme, s'il ne m'a pas été donné de le rencontrer, j'en ai examiné avec soins les photographies.

Est-ce donc là l'idée que vous vous faisiez de votre Coq, escroquant, et comment avez vous pu vous laisser berner à ce point ?

Un Coq frisant la cinquantaine ! Se grand je vis friser... ! Qu'est ce qui pourrais encore friser sur un crâne dégarni où ne s'éparpillent plus que quelques cheveux argentés ?

Un Coq aux contours rouillés, au double ou triple menton, au soupçon de bedon qui...

ferais plutôt penser à la poule fâté !

Un Coq qui, pour parcourir son train de
gens, est obligé de chausser son nez de
bésicles !

Logons, messieurs le Bourgmestre, votre
folie si, si... elle vraiment laissé prendre ?
ne sait. Ne sa pas que le signataire de ces lignes
a vingt ans, qu'il est chevelu comme un lion,
efflanqué comme un *calvi*, avec un regard
d'aigle et de dents de loup ?

George Sim, ce monsieur qui va, grave et
content de lui, de réunion en réunion, de
réception en banquet, et qui serre les mains
avec la dignité onctueuse d'un homme de
robe ?

Allons donc ! Vous n'êtes pas naïf à ce
point. ~~App~~ ou alors, appelez votre chef de police.
Il vous dira que le vrai Sim est un
adolescent éternel qui va le nez au vent,
mains dans les poches, humant l'air des quais
et des venelles.

Quant à l'autre, l'imposteur à la calvitie
et au ventre arrondi, mes absente de savoir
à quelle fin il vous a roupé jaclé. Le
donc appréhender, coffrer, flanquer sur la
paille humide, débarrassez-nous, en,
débarrassez m'en, cet individu ne fut-il,
en définitive, que mon reflet dans le miroir.

Ce n'est pas le vrai, Monsieur le Bourgmestre.
Ne vous y laissez pas prendre. Ne le laissez
pas. Empêchez-le de me faire croire en Sim.
Monsieur le Coq a vingt ans.

p. c. c.

Manuscrit du «Hors du Poulailler» paru le 9 mai 1952 dans la «Gazette de Liége».

péta l'expérience avec un deuxième, puis un troisième bureau, s'exclamant, soudain :

– Là, c'est celui-là ! Regardez, il reste encore des miettes de mon dernier sandwich !».

Ensuite, Simenon descendit dans les ateliers. L'ancien rédacteur reconnut ses amis. Entre autres, le chef d'atelier, Jules Swegerynen, avec lequel il enleva la caisse de l'Hôtel de Ville. «Les linotypistes debout devant leurs machines. Le plus âgé s'avance vers moi, rouge d'émotion. C'est celui avec qui, au commissariat installé dans les sous-sols de l'Hôtel de Ville, j'ai «volé» trois caisses de livres destinés à la bibliothèque des Chiroux et qui moisissaient là depuis trois ans. Fernand-le-Costaud est à la retraite»[3].

Au nom du personnel de la rédaction le chef de la linotype, remit au romancier académicien une pipe à bague d'or.

«Oh, ... Une pipe ! Une pipe qui est de la forme des anciennes, de celles que je fumais jadis au journal ! Comme c'est gentil !...

C'est alors que Joseph Demarteau rappelle l'ardent désir qu'a toujours eu Simenon d'écrire et d'écrire encore.

– J'ai apprécié vos romans en prison en Allemagne, dit-il. C'était une histoire de Maigret. Et je suis fier d'avoir été votre patron. Il n'y en a pas beaucoup, n'est-ce pas, qui ont été votre patron...

– Si vous saviez comme j'aimerais rester votre "petit Sim"!... J'aimerais écrire pour la *Gazette* un petit billet, un *Poulailler* signé *M. Lecocq,* comme jadis. Cela me ferait plaisir avant de retourner...».

Le lendemain, dans le grand salon de l'Hôtel de Suède, Simenon dédicace les livres que ses concitoyens lui tendent : «Cela n'a rien des séances publicitaires. Ici, on ne vend pas de livres et ceux que m'apportent Liégeois et Liégeoises sont parfois jaunis, écornés, y compris mon premier roman *Au Pont des Arches* dont je ne possède plus un seul exemplaire. Chacun écrit son nom sur un petit papier et je retrouve de nombreux noms familiers»[3].

Trente ans après son départ de la Gazette de Liége, c'est à la une des éditions du 9 mai 1952 que paraît le Hors du Poulailler que Simenon avait promis d'écrire.

Je voudrais poser à Monsieur le Bourgmestre de Liège une question qu'il jugera peut-être impertinente: sommes-nous protégés comme nous avons le droit de l'être contre certains personnages sans aveu, venus on ne sait d'où dans l'intention évidente d'abuser de la crédulité publique ? Si la Violette, m'assure-t-on, est bien gardée, notre bonne ville l'est-elle aussi ?

Sans attendre le haussement d'épaule de notre plus haut magistrat communal, je n'hésite pas à répondre non. Et je le fais, une fois de plus, en toute connaissance de cause.

Depuis quelques jours, en effet, on peut voir rôder un individu, descendu dans un de nos meilleurs hôtels, qui n'hésite pas à se faire passer pour Georges Simenon et qui raconte à qui veut l'entendre qu'il n'est autre que le signataire de ces chroniques.

On ne l'a pas seulement aperçu dans les rues, mais il a pu s'introduire dans des cercles assez fermés et serrer la main de personnalités importantes, la vôtre entre autres, m'affirme-t-on, M. le Bourgmestre.

Je me suis même laissé dire que vous l'avez félicité publiquement du talent dépensé dans ces notes quotidiennes. Or, cet homme, s'il ne m'a pas été donné de le rencontrer, j'en ai examiné avec soin les photographies !

Est-ce donc là l'idée que vous vous faisiez de votre coq cocoriquant, et comment avez-vous pu vous laisser berner à ce point ?

Un coq frisant la cinquantaine, et quand je dis friser... ! Qu'est-ce qui pourrait encore friser sur un crâne dégarni où ne s'éparpillent plus que quelques cheveux anémiques ?

Un coq aux alentours douillets, au double, au triple menton, au soupçon de bedon qui ferait plutôt penser à coq en pâte !

Un coq qui, pour parcourir son menu des yeux, est obligé de chausser son nez de besicles !

Voyons, Monsieur le Bourgmestre, notre police s'y est-elle vraiment laissée prendre ? Ne sait-elle pas que le signataire de ces lignes a vingt ans, qu'il est chevelu come un lion, efflanqué comme un cabri, avec un regard d'aigle et des dents de loup ?

Georges Simenon, ce monsieur qui va, grave et content de lui, de réunion en réunion, de réception en banquet, et qui serre les mains avec la dignité onctueuse d'un homme de robe ? Allons donc. Vous êtes naïf à ce point ? Ou alors appelez votre chef de police. Il vous dira que le vrai Simenon est un adolescent éternel qui va le nez au vent, mains dans les poches, hu-

mant l'air des quais et des venelles.

Quant à l'autre, l'imposteur à la calvitie et au ventre arrondi, sans attendre de savoir à quelles fins il vous a trompé, faites-le donc appréhender, coffrer, flanquer sur la paille humide, débarrassez-nous-en, débarrassez-m'en, cet individu ne fût-il, en définitive, que mon reflet dans le miroir. Ce n'est pas le vrai, Monsieur le Bourgmestre. Ne vous laissez pas prendre. Ne le croyez pas. Empêchez-le de me faire croire en lui.

Monsieur le Coq a vingt ans.
p.c.c. Georges Simenon

Simenon est condamné devant les Tribunaux

Toute la une de la Gazette de Liége du mardi 6 mai 1952 est barrée sur huit colonnes par le titre "Georges Simenon a retrouvé la Gazette". La touche sentimentale est réservée au sous-titre: "Il a fait battre le cœur d'Outremeuse et a pleuré en revoyant son vieux professeur". Il n'en demeure pas moins que le même jour Simenon alimente au dos de cette page pleine d'élan et de joie la chronique des tribunaux. Les premières lignes de l'article – intitulé "Un médecin verviétois contre Georges Simenon défendu par Maître Garçon" – résument l'affaire et livrent l'atmosphère: «Grande animation lundi matin au palais de justice de Verviers. Georges Simenon en effet y est en visite pour répondre à une assignation judiciaire que lui a lancée un médecin verviétois mécontent de ce que le romancier lui ait consacré dans un de ses récents romans, *Pedigree,* certains passages. L'affaire n'est pas neuve: elle date de 1950 et on sait que le Tribunal de Verviers rendit par défaut un jugement condamnant M. Simenon à payer 100.000 francs de dommages et intérêts». Et de préciser: «Le romancier est venu lui-même, accompagné de son épouse, suivre les débats. Sa présence et celle de Maître Garçon, le célèbre avocat parisien, attirèrent une grande foule dans la salle du tribunal». Me Bolland, l'avocat du docteur Chaumont, plaide en affirmant: «C'est dans un sentiment de basse vengeance qu'il a écrit *Pedigree*; l'intention est méchante, le préjudice est certain».

Maître Garçon intervient d'abord en protestant «contre une phrase prononcée par Me Bolland lorsque celui-ci déclara qu'après être menacé Simenon avait pris la précaution de fuir en Amérique. Me Garçon plaide en droit; il constate que dans son roman *Pedigree* l'histoire est réelle, mais si tout est vrai rien n'est exact, dit-il. Simenon s'attendait à des remerciements de la part de ses amis, mais il s'était trompé envers l'un d'eux. (...). On l'a considéré comme une mine d'or venant d'Amérique. Théoriquement, on ne peut dire que Simenon a été un calomniateur. Très spirituellement, Me Garçon interroge le médecin verviétois: «Avez-vous reçu une seule lettre d'un client qui vous retirait sa pratique parce qu'il y a trente ans vous aviez placé un squelette dans le lit d'une bonne?». La Gazette conclut sur les mots: «M. Simenon estime que le procès qu'on lui intente est vexatoire et il réclame 50.000 francs de dommages et intérêts. Le Ministère public donnera son avis dans une quinzaine de jours».

C'est en fait dans les éditions du 17 juin 1952 que l'on trouve le compte rendu du jugement de cette affaire qui fit grand bruit à l'époque. Sous la rubrique *Les Tribunaux*, on peut lire le titre: "Le romancier Georges SIMENON EST CONDAMNÉ". La Gazette de Liége ne monta pas l'affaire en épingle: une petite quarantaine de lignes-journal sont consacrées à l'épilogue de ce procès. On y lit: «Le jugement, longuement motivé, retient que Simenon a identifié clairement le demandeur dans son livre, mais, qu'en espèce, le dol spécial n'existe pas; que l'intention de nuire fait certainement défaut; il semble qu'il n'a pas respecté la vie privée de M. Chaumont, qui, de ce fait, a subi un préjudice moral certain». C'est pourquoi, Simenon se voit condamné «à 6.000 francs de dommages et intérêts, plus intérêts légaux. Sur cette somme, Simenon devra en plus supprimer ou faire supprimer dans *Pedigree* tous les passages litigieux et, à défaut de ce faire, le demandeur pourra faire saisir les publicités où son nom figurerait. Le Tribunal fait défense à Simenon de faire éditer ou publier à l'avenir les mentions sus-visées».

Simenon revient à Liège...

Simenon revint également à Liège en octobre 1961. En effet, cette année-là, la Ville de Liège inaugurait la bibliothèque Georges Simenon en Outremeuse, le quartier où il vécut. De plus, il venait recevoir le Grand Prix Septennal, accordé pour la première fois par la Province de Liège.

Dès le 10 octobre, la Gazette de Liége annonce en primeur à ses lecteurs le retour de Simenon pour «l'après-midi du jeudi 12 octobre».

À la une des éditions du 11 octobre, la Gazette de Liége rend hommage à son ancien rédacteur, avec un article intitulé "La pipe de Maigret ou le plus illustre romancier d'aujourd'hui", accompagné d'une caricature.

En fait, Simenon arriva à Liège le mercredi 11 octobre 1961 dans la soirée. Et, de nouveau, il n'hésita pas à rendre visite, dès le lendemain, à 15h30, à la rédaction de la Gazette de Liége. C'est dans l'édition des 14-15 octobre que le journal livre à ses lecteurs le compte rendu de cette visite, sous le titre : "Le «Petit Sim» retrouve la Gazette". On peut lire : «Le père de Maigret est revenu au journal. Car pour lui, nous avouait sa charmante femme, après tant d'années, la «Gazette» reste toujours «le» journal. Cette fois encore, le «petit Sim» est revenu «humer l'encre», comme il dit. (...). En l'absence de M. Demarteau, souffrant, c'est M. Schaus, Chef des Services de Rédaction, qui acceuillit notre ancien confrère et sa charmante épouse. M. Victor Moremans, chroniqueur littéraire, qui assista aux premiers pas de son ami Georges dans la profession de journaliste lui dit sa joie de le savoir si fidèle à son ancienne maison. Georges Simenon évoqua avec émotion la grande figure du «patron» disparu, Joseph Demarteau III, et retrouva avec joie «ceux de la vieille équipe» comme il appelle ceux qu'il connut autrefois. Il tint d'ailleurs à descendre «aux machines» où il bavarda de longs moments accoudé au marbre, dans l'ambiance d'autrefois».

Lors de l'inauguration de la bibliothèque Georges Simenon, le romancier rendit hommage au poète wallon Joseph Vriendts, le bibliothécaire qui lui permettait d'avoir accès à n'importe quel livre, lui ouvrant les portes d'un monde fabuleux.

---

1. Dictée «Destinée», 1981, pp. 77-78.
2. «Lettre à ma mère», 1974, p. 32.
2. «Mémoires Intimes», 1981, p. 327-329.

12 AVENUE DES FIGUIERS, 1007 LAUSANNE

«Mon cher confrère,

Ceci bien que je ne fasse pas de journalisme depuis longtemps, j'ai de merveilleux souvenirs du temps où, à 15 ans, je suis entré à la Gazette et où j'écrivais en riant un billet quotidien intitulé «Hors du Poulailler».
Ceci parce que mes prises de position n'étaient pas toujours en harmonie avec celles du journal.
Dieu merci, Demarteau, le Directeur, était large d'esprit et indulgent pour son impatient poulain qui ruait parfois dans les brancards.

Confraternellement vôtre,

Georges Simenon.

Lausanne le 27 août 1985.

Hélas! je suis un retraité de 83 ans. Je n'écris plus. Ne donne plus d'interviews et ne reçois plus aucun média.

BIBLIOGRAPHIE

Annuaire officiel de la presse belge, 1919-1921 et 1922-1923.

Annuaire des adresses de Liège et de la Province, Liège, Imprimerie Vve Lasalle, 1920, 29ème année.

Delcourt Christian, «Un jeune reporter dans la guerre des journaux liégeois, Georges Simenon», Éditeur Albert Vecqueray, Imprimerie Clarté, 1977, 8°, 32pp.

Demarteau Joseph, «Gazette de Liége, 1840-1940, Liber Memorialis. Réflexions centenaires», Liège, Gazette de Liége, 1940.

Demarteau Joseph, «Les Cent Ans de la Gazette de Liége», Liège, Rapid Express, 1945.

Dubourg Maurice, Menguy Claude, «Georges Sim ou les années d'apprentissage de Simenon», 1968; Id., remise à jour, travail dactylographié, version définitive, non éditée, aux environs de 1980.

Fabre Jean, «Enquête sur un enquêteur, Maigret», essai de socio-critique, Montpellier, Éditions du Centre d'Études et de Recherches Sociocritiques, Collection «Études sociocritiques», 1981.

Gobert Théodore, «Liège à travers les âges. Les rues de Liège», Bruxelles, Éditions «Culture et Civilisation», 1975.

Gothot-Mersch Claudine, Dubois Jacques, Klinkenberg Jean-Marie, Racelle-Latin Danièle et Delcourt Christian, «Lire Simenon», Bruxelles, Fernand Nathan/Éditions Labor, réalité/fiction/écriture, Dossiers Media, 1980.

Jour Jean, «Simenon, enfant de Liège», Bruxelles Éditions Libro-Sciences, 1980.

Leroux Gaston, «Le mystère de la chambre jaune», Paris, Robert Laffont, 1961.

Piron Maurice, «Georges Simenon et son milieu natal», in «La Wallonie, le pays et les hommes», «Lettres-Arts-Culture», Tome III, de 1981 à nos jours, Bruxelles, La Renaissance du Livre, 1979.

Ritzen Quentin, «Simenon, avocat des hommes», Paris, Le Livre Contemporain, 1961.

Rutten Mathieu, «Simenon, ses origines, sa vie, son œuvre», Nandrin, Eugène Wahle Éditeur, 1986.

Rutten Mathieu, «Georges Simenon», Brugge, Desclée De Brouwer, 1977.

Simenon Georges, «Ses débuts, ses projets, son œuvre», Paris, N.R.F., 19p., illustré.

«Simenon reçoit Victor Moremans», Liège, Palais des Congrès, Dossiers R.T.C., N°19, décembre 1970, illustré.

«Simenon», Lausanne, L'Age d'Homme, Collection Cistre/Essai, N°10, 1980.

Simenon Georges, «Entretiens avec Roger Stéphane», Paris, «Portrait Souvenir», Librairie Tallandier, R.T.F., 1963.

Simenon Denyse, «Un oiseau pour le chat», Paris, Jean-Claude Simoën, 1978.

Simenon Georges, «Le Roman de l'Homme», Conférence faite au Grand Auditoire de l'Exposition universelle de Bruxelles, le 3 octobre 1958, Paris, Les Presses de la Cité, 1960, 93p.

Simenon Georges, «À la découverte de la France. Mes apprentissages 1.», préface de Lacassin Francis et Sigaux Gilbert, Paris, Collection 10/18, Série «L'Appel de la Vie», 1976.

Tauxe Henri-Charles, «Georges Simenon, de l'humain au vide», essai de micropsychanalyse appliquée et entretiens avec l'auteur, Buchet-Chastel, 1983, 218p.

Tillinac Denis, «Le mystère Simenon», Paris, Calmann-Lévy, 1980.

LES ROMANS DE GEORGES SIMENON

«Les fiançailles de M. Hire», Paris Librairie Fayard, 1960.

«L'âne rouge», Paris, Presses Pocket, 1977.

«Le pendu de Saint-Pholien», Presses Pocket, 1977.

«La danseuse du Gai-Moulin», Paris, Presses Pocket, 1977.

«Pedigree», les trois tomes, Paris, Les Presses de la Cité, 1848.

«Je me souviens», Paris, Les Presses de la Cité, 1961.

«Les trois crimes de mes amis», Paris, Gallimard, Collection Folio, 1938.

«La rue aux trois poussins», Paris, Les Presses de la Cité, 1963.

LES MÉMOIRES DE GEORGES SIMENON

«Lettre à ma mère», Paris, Les Presses de la Cité, 1974.

«Mémoires Intimes», Paris, Les Presses de la Cité, 1981.

«Quand j'étais vieux», Paris, Les Presses de la Cité, Collection «Mes Dictées», 1970.

«Un homme comme un autre», Id., 1975.

«Des traces de pas», Id., 1975.

«Vent du nord, vent du sud», Id., 1976.

«Les petits hommes», Id., 1976.

«Un banc au soleil», Id., 1977.

«De la cave au grenier», Id., 1977.

«À l'abri de notre arbre», Id., 1977.

«La main dans la main», Id., 1978.

«Vacances obligatoires», Id., 1978.

«Tant que je suis vivant», Id. 1978.
«Je suis resté un enfant de chœur», Id., 1979.
«Point-virgule», Id., 1979.
«À quoi bon jurer?», Id., 1979.
«Au-delà de ma porte-fenêtre», Id., 1979.
«Le prix d'un homme», Id., 1980.
«Les libertés qu'il nous reste», Id., 1980.
«On a dit que j'ai soixante quinze ans», Id., 1980.
«Quand vient le froid», Id., 1980
«Jour et nuit», Id., 1981.
«La femme endormie», Id., 1981.
«Destinées», Id., 1981.

JOURNAUX ET REVUES CONSULTÉS

La Gazette de Liége, «Simenon a retrouvé la Gazette», par Eldé, du 6 au 9 mai 1952.
La Gazette de Liége, «Une journée dans l'intimité d'un ami de la «Gazette de Liége», par Victor Moremans, 17 septembre 1964.
L'Express, La Meuse, La Gazette de Liége, La Wallonie socialiste, du 3 mars 1922: «le pendu de Saint-Pholien».
La Légia, «Georges Simenon évoque ses souvenirs de journaliste liégeois», par Théo Claskin, 23-24 juin 1943.
La Meuse, «Mon premier rendez-vous avec l'Art», par Georges Simenon, 14 octobre 1953.
La Wallonie, «Ce que la télévision ne vous a pas dit - «Hors du Poulailler» avec Georges Simenon», par Jean Jour, 5 avril 1970.
Le Magazine littéraire, «Simenon, un dossier, un entretien, une nouvelle inédite», Paris, N°107, 1975, pp.19-41.
Le Monde hebdomadaire, «Simenon», N°1724, 11-18 novembre 1981.
Pourquoi Pas?, «Un homme d'Outremeuse», par René Hénoumont, 16 avril 1981, N°3255.
Pourquoi Pas?, «Le petit Sim», par René Hénoumont, 23 avril 1981, N°3256.
La Libre Belgique, «Cette bonne vieille Gazette de Liége», par Michel Mathot, Édition Spéciale, 100 Ans, avril 1984, p.40.

CATALOGUES D'EXPOSITION

«Simenon et Liège. Liège et Simenon», exposition organisée par les Affaires culturelles de la Ville de Liège, 1982.
«Simenon», tiré à part des Dossiers du Centre d'Action Culturelle de la Communauté d'Expression Française (Cacef), mensuel, N°92, 1981.

CASSETTES DE LA MÉDIATHÈQUE PROVINCIALE DE LIÈGE

«Des Liégeois vous parlent...», «Entretien avec Georges Simenon»,
MPL 015 - Vol.1: «Georges Simenon, romancier de l'homme», 60 minutes.
MPL 016 - Vol.2: «Georges Simenon, en marge du romancier», 60 minutes.
MPL 017 - Vol.3: «Un Liégeois nommé Georges Simenon», 60 minutes.

TABLE DES MATIÈRES

TABLE DES MATIÈRES

Imprimé en Belgique